JN121175

クレア・ビショップ

ラディカル・ミュゼオロジー

つまり、現代美術館の「現代」ってなに？

ダン・ペルジョヴスキによるドローイングとともに

村田大輔 訳

Radical Museology, or, What's "Contemporary" in Museums of Contemporary Art?
by Claire Bishop, Dan Perjovschi
© 2013 Claire Bishop, Dan Perjovschi and Koenig Books, London
Permission for this Japanese edition was arranged with
Verlag der Buchhandlung Walther König through The Sakai Agency

Photographic credits :
© Archives Van Abbemuseum, Eindhoven, The Netherlands for p. 40-47
© Museo Nacional Centro de Arte Reina Sofía, Madrid for p. 50-61
© Moderna Galerija, Ljubljana for p. 64-73

RADICAL MUSEOLOGY

凡例

1 底本文中のイタリック体表記の語は、強調を表す場合は傍点、アート作品名を表す場合は《 》、書籍名や雑誌名を表す場合は『 』で示す。
2 底本文中の引用符〝 〟は、展覧会名・文章名・引用・強調のいずれを表す場合でも「 」で示す。
3 底本文中の大文字で始まる語（固有名詞以外）は〈 〉で示す。
4 文中に付された（1）、（2）……は原注の番号であり、その注記は巻末に置く。
5 文中に付された記号†は訳注箇所を表し、その注記は当該段落直後に置く。
6 〔 〕で括られた語句は、訳者による補足や簡単な注記。

目次

MUSEUM

1

なかに入る

美術史家によって著された現代美術館（museum of contemporary art）についての最新の論争的なテキストが、一九九〇年のロザリンド・クラウスによる「後期資本主義的美術館の文化理論」であることは注目に値する。彼女の論文は、そのタイトルだけでなく容赦ない悲観論という点においても、フレドリック・ジェイムソンによる後期資本主義文化批判から影響を受けている。パリ市立近代美術館と、マサチューセッツ州ノースアダムズ州での進行中の計画であったマサチューセッツ現代美術館という二つの現代美術館での自身の体験を基にクラウスは、美術作品との心からの出会いは、新たな種類の経験に従属するようになったと論じた。その経験とは、美術館建築という入れ物が有する解き放たれたハイパーリアリティである。それは脱身体的感覚という効果をもたらし、クラウスの見解によれば、その効果はグローバル資本の脱物質化された流れと相関している。芸術的な啓示を高度に個人的なかたちで受けるというよりむしろ、展示室において鑑賞者は第一に空間から高揚感を得るのであり、アートからのそれはその次だ。[1] クラウスの論考は多くの点で予見的であった。なぜなら、それか

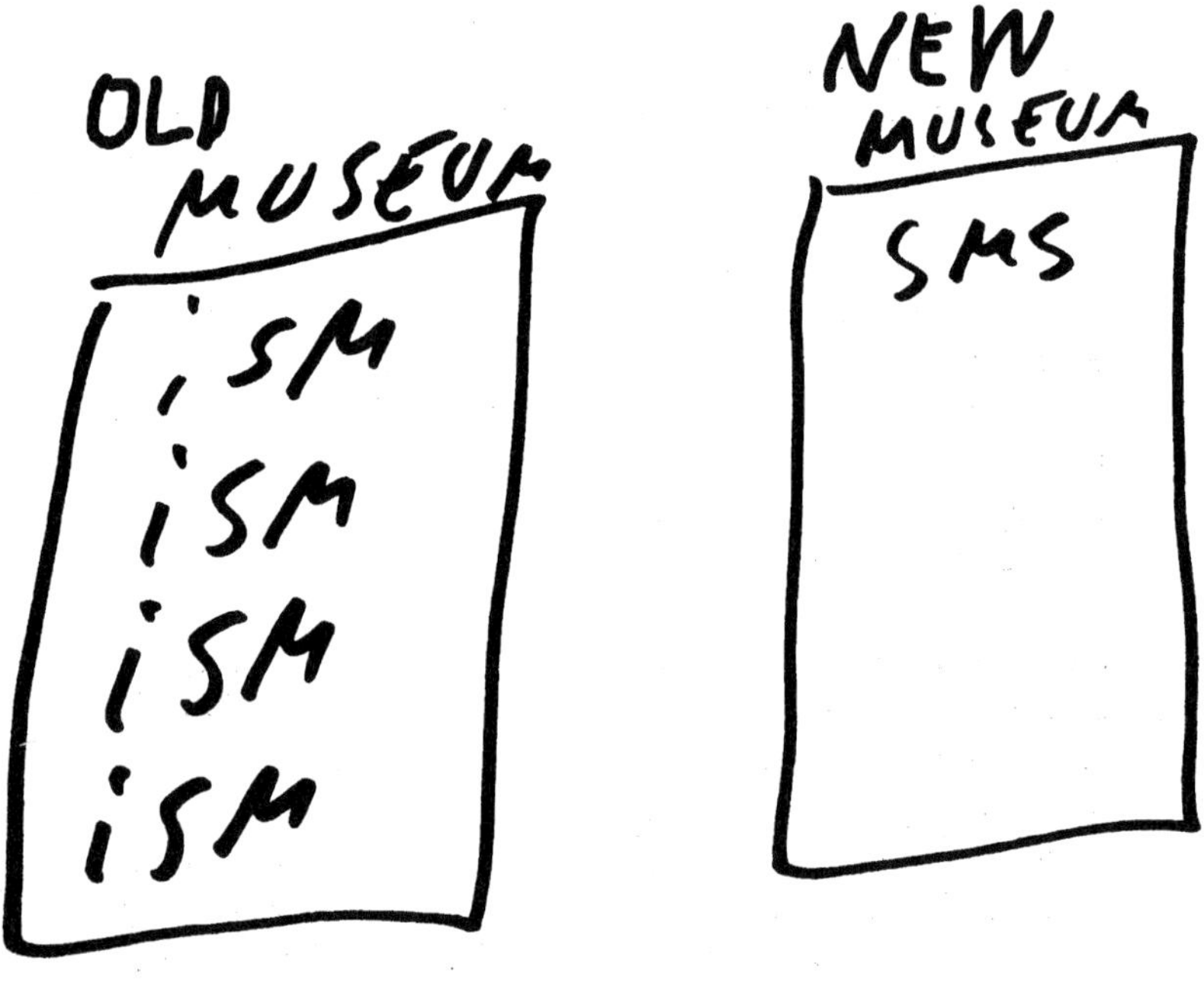

OLD
MUSEUM

iSM
iSM
iSM
iSM

NEW
MUSEUM

SMS

ら十年後、現代美術を専門とする新しい美術館がかつてないほど激増し、そこでは規模の拡大と巨大ビジネスへの接近という二つの点が、エリート文化の貴族的機関（インスティテューション）としての十九世紀型美術館モデルから、レジャーやエンターテインメントの大衆的神殿としての現在の美術館像への移行の主要な特徴となっているからだ。

しかし今日、美術館のさらにラディカルなモデルが形成されつつある。それは、より実験的であり、あまり建築的に規定されたものではなく、そして我々の歴史的契機に対してさらに政治的に踏み込んだモデルである。アイントホーフェン〔オランダの都市〕のファン・アッベミュージアム（Van Abbemuseum）、マドリッドのソフィア王妃芸術センター（Museo Nacional Centro de Arte Reina Sofía）、リュブリャナ〔スロヴェニアの首都〕のメテルコヴァ現代美術館（Muzej sodobne umetnosti Metelkova［MSUM］）というヨーロッパの三つの美術館は、芸術作品を個別的に扱うこと以上に、芸術という制度（インスティテューション）とその潜在力に対する我々の認識の変更をうながす。これら三つのすべてが、「大きければ大きいほどよく、そうなればなるほど、より金回りがよくなる」という最近の支配的な標語（マントラ）に対して、説得力のあるオルタナティヴを示しているのだ。優良・安定株である主流に従うのではなく、これらの美術館は、非常に広範囲にわたる芸術的産物（アーティファクト）を展示することで、それぞれの個別特定の歴史とアートとの関係を普遍的な連関のなかに位置づけている。(2) 彼らは一パーセント〔世界を独占する者たち〕の名において語るのではなく、周縁化され、脇に追いやられ、そして虐げられている（あるいは、そうされてきた）人々の利害や歴史を表象／代表（レプリゼント）することを試みている。しかしだからといって彼らは、アートを歴史に押し並べて従属化させているのではない。彼らは、視覚的生産の世界全体を動員することによって、歴史の正しい側に立つことの必要性をかき立てているのだ。

　三つの美術館すべてが「コンテンポラリー（the contemporary）」†というカテゴリーの再考に取り組んでいるのは偶然ではない。本書全体にわたり、私は現代性／同時代性／共時間性（コンテンポラニアティ）の二つの相反するモデルを提示していくつもりである。第一のモデルは、現在主義（presentism）であり、我々が存在する今（いま）という契機を我々の思考の地平かつ目的地として捉える見方である。これは今日のアートにおける「現代（コンテンポラリー）」という言葉の主な使われ方である。この視点を補強しているものとは、今という契機をそのグローバルな全体性のなかで理解することの不能であり、そしてこの理解不能が現在という歴史的時代の構成条件として受け入れられているということである。二つ目のモデルは、私がここで展開したいもので、これら三つの美術館の実践がその手がかりとなる。ここでいうコンテンポラリーとは、弁証法的方法として、そして時間性（テンポラリティ）をよりラディカルに理解するなかで政治化されたプロジェクトとして理解されている。時間と価値は、私が「弁証法的同時代性（コンテンポラニアティ）」と呼ぶ概念の定式化においての賭け金となる極めて重要なカテゴリーであることがわかる。なぜなら、この概念は、作品それ自体の様式や時代区分を規定するものではなく、作品へのアプローチ〔接近方法〕だからである。このカテゴリーを通して機関・制度（インスティテューション）にアプローチすることによって導かれる帰結のひとつは、美術館や、そこで神聖化される芸術というカテゴリー、そしてそこで生み出される鑑者者性の様相についての再考である。

†訳注：「contemporary」という語は通常「現代」や「同時代」と訳されるが、この論考においてビショップはそのような通常の用法と並んで、その語源的含意（「共に」を意味する接頭辞「con-［com-］」、「時間」を意味するラテン語「tempus」由来する語根、「に属する／に関係する」を意味する接尾辞「-ary」の合成）から、「複数の相異なる時間性が（弁証法的に）共存すること」という意味でも使っている。ゆえにこの訳文では通常の訳語とそれに「コンテンポラリー」とルビを付したものとカタカナ表記を文脈に応じて使い分ける。同様の理由から「contemporaneity」という語も、「現代性」、「同時代性」と「共時間性」という造語に文脈に応じて訳し分け、それぞれに「コンテンポラニアティ」というルビを付す。また通常は「一時性」と訳される「temporality」は、この論考ではフランス語の「temporalité」の意味で主に使われているので、その場合は「時間性」と訳す。

DONORS
PUBLIC

II 現代美術館

この二十年の間、ひとつのカテゴリーとしての美術館の大きな多様化がみられるようになってきた反面、民営化〔私有化〕という支配的な論理が、それらが世界規模で反復していることの大部分を結び合わせている。ヨーロッパでは、「緊縮財政」という名目において公的な文化予算が段階的に引き下げられるにつれて、寄付や企業による資金提供への依存が強くなっている。米国ではこのような状況は以前からそうではあるが、現在はより一層加速しており、公的利益と私的利益を区別する見せかけすらしようとしていない。二〇一〇年一月には、アート・ディーラーのジェフリー・ダイチがロサンゼルス現代美術館の館長に就任した。その二ヶ月後、ニュー・ミュージアムでは、理事のひとりである億万長者ダキス・ヨアヌーのコレクションが展示されたが、そのキュレーションは、美術館がアーティストのジェフ・クーンズ——彼の作品はすでにヨアヌーのコレクションに含まれている——を雇って実現させたものであり、物議を醸した。また一方で、よく知られているように、ニューヨーク近代美術館〔MoMA〕では、常設展示室の定期的な展示替えは、理事たちの最新の収集動向に応じて行われている。実際、現代美術館があたかも美術史的研究を商業画廊に譲渡したかのようにも見えることがある。例えば、ガゴーシアン（世界規模で営業展開している現代美術画廊）は、著名な美術史家の綿密なキュレーションによって、あたかも伝統的な美術館のように、近代の巨匠たち（マンゾーニ、ピカソ、フォンタナ）のブロックバスター展を続々と実施している。

ラテンアメリカでは、公的資金によって運営されている現代美術の機関（インスティテューション）は一九六〇年代より存在している──例えばサンパウロとリマの二つの美術館（サンパウロ大学現代美術館、リマ現代美術館）は大学のキャンパスの一部であった。しかし、最も注目を集めている現代美術のスペースは、すべて民営である。それらは、メキシコシティに設立されたフメックス美術館（一九九九年設立）、ブエノスアイレス・ラテンアメリカ美術館（二〇〇一年）、ブラジル、ベロオリゾンテ近郊のイニョチン（二〇〇六年）だ。アジアでは、コレクションをベースにした最大規模の現代美術館は、裕福な個人（例えば、二〇〇三年に東京に開館した森美術館、二〇一二年に上海に開館したドラゴン美術館）や企業（例えば、二〇〇四年ソウルに開館したサムスン美術館）によって設立されたものである。最近になってようやく、中国政府が公営の現代美術館を開館させている。二〇一二年一〇月には上海の工場跡に上海当代芸術博物館が開館。二〇一五年には、香港に世界最大の現代美術館となるM＋がオープンする予定である。しかし、アジアにおける多くの美術館は、企画展を実施するクンストハレ（「Kunsthalle」はドイツ語で「独自のコレクションをもたない美術展示施設〕」といっても差し支えのないもので、北京の今日美術館（二〇〇二年）、上海の民生現代美術館（二〇〇八年）や外灘美術館（二〇一〇年）、広州の時代美術館（二〇一〇年）を考えればわかるとおり、コレクション・ポリシーを明言する館はわずかである。

批評家たちが分析しているように、こうした美術館の民営化は、「スターキテクチャー〔有名建築家による建築物〕」の成功というかたちで目に見えてわかるようになっていた。つまり、一九九〇年にクラウスがまさに予見したように、美術館の外見がその中身より重要になったのであり、アートは、巨大なポストインダストリアルの格納庫のなかで途方にくれるか、あるいは器の大きさと競うように巨大化するかのどちらかを選択するしかない。美術館が建築を自らの署名代わりにするのは今に始まったことではないとはいえ、新しい美術館建築における過度な象徴性は、比較的最近のものである。一九八九年にルーヴルに建てられたI・M・ペイのピラミッドはその初期の基準作であり、ヨーロッパにおける近年のその具現は、坂茂によるポンピドゥ・センター・メス、ザハ・ハディッドによるローマの国立二十一世紀美術館であり、両館は共に二〇一〇年に開館している。アブダビにおける未来の影はさらに、このリストに異文化間の緊張を加える――〔この地に造られる予定の〕ルーヴルやグッゲンハイムのフランチャイズ〔のような美術館〕は、アートやパフォーマンスを収蔵するために造られる、びっくり仰天するほど巨大な建築物の大群の一部を形づくることになるだろう。このような現代

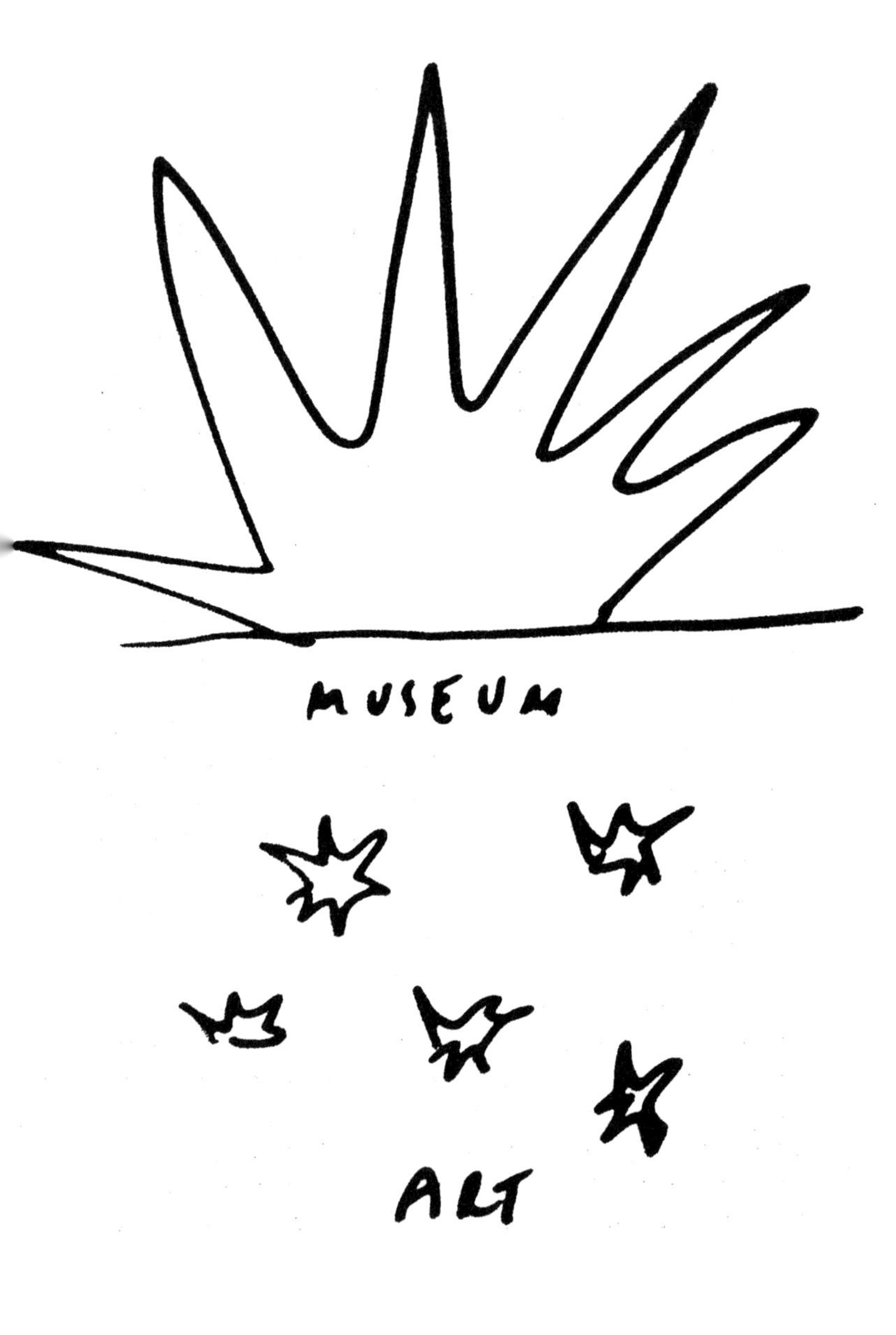
MUSEUM
ART

美術館の地球規模の景観を眺めるとき共通しているのは、コレクション、歴史、姿勢、使命が重要視されてはおらず、それに代わって、現代性(コンテンポラニアティ)がイメージの水準——新しさ、クール さ、フォトジェニック、みごとにデザインされていること、経済的な成功——で劇場化されているということだ。(3)

果たしていつから現代美術がひとつのカテゴリーとしてここまで魅力的なものとなったのだろうか? さかのぼること一九四〇年、アド・ラインハートは、彼が立案したアーティスト・マニフェストにおいて、「ニューヨーク近代(モダン)美術館は、どれほどモダンなのか?」と問いかけ、過去を展示する以上に、現在を提示しうるかどうかとニューヨーク近代美術館の能力を疑ってみせた。アーティスト達は美術館に反抗し、次々に行われる二十世紀初頭のヨーロッパの画家や彫刻家の展覧会ではなく、もっと多くの同時代(コンテンポラリー)のアメリカ合衆国美術の展覧会実施を要求したのであった。(4)印象的なことであるが、ニューヨーク近代美術館の館長であったアルフレッド・バーにとっては、モダンとは美的性質(進歩的、オリジナル、挑戦的)を意味し、それに比してコンテンポラリーは、無害で、アカデミックで、「平板な中立」であって、端的に言って現存作家による作品であることを意味していた。(5)戦後、美術機関は、「モダン」の代替として「コンテンポラリー」という語を好む傾向にあった。一九四七年ロンドンに設立されたインスティテュート・オブ・コンテンポラリー・アーツは、類似名称の他の多くの機関と同様、パーマネント・コレクションの形成よりもむしろ、企画展の実施を選択

していた。[6] これらの例でも「コンテンポラリー」は、様式や時代を指示するよりは、現在であることの主張として用いられている。これとは対照的に、ボストンのインスティテュート・オブ・モダン・アートが一九四八年にインスティテュート・オブ・コンテンポラリー・アーツと名称変更したのは、ニューヨーク近代美術館が先陣となって掲げた国際主義から距離を取るためであり、地域主義的、商業的、保守的なアジェンダを正当化するために拡大解釈した「コンテンポラリー」というカテゴリーに向かっていった。[7]

ニューヨークのニュー・ミュージアムは、美術館が現在主義となってゆくストーリーのなかで重要な転換をもたらした事例である。一九七七年にＭｏＭＡやホイットニー美術館のオルタナティヴとして設立されたニュー・ミュージアムでは、初代館長のマルシア・タッカーの指揮下、当初は「半永久コレクション（semi-permanent collection）」が構築されていた。一九七八年に着手されたコレクション収集は、旧来の美術館では居所のない、非物質的作品、コンセプチュアル作品、パフォーマンス、プロセス・アートといった類の作品に焦点を合わせていた。これらの作品は、周縁化された主体位置を表象し、また、レーガン時代の政治に抗する立ち位置を明示していた。ニュー・ミュージアムの理念は、現在に視点を定めることによって、収集という概念に揺さぶりをかけることだった。作品は、ドキュメンテーションのかたちとして、館内で実施された展覧会から選ばれたが、しかし十年後、これらの作品は、より近年の作品を収集するために売却されることになる。収集におけるこのようなモデルは新しいものではなかった。パリのリュクサンブール美術館が現存作家の美術館(musée des artistes vivants)〔このフランス語は「現代美術館」と同義〕――この名称は、「歴史的」(すなわち死んでいる)作家のためのルーヴル美術館とは正反対に位置づけることを念頭において選択されたものであった――となった一八一八年には、ほぼ同じようなことが実施されていた。このモデルは、一九三一年からはニューヨーク近代美術館のアルフレッド・バーによっても追従された。すなわち、収集作品は五十年後に売却されるか、あるいは、後世のためにメトロポリタン美術館に移管された。これは一九五三年まで実施されていた。ニュー・ミュージアムの「半永久コレクション」を独特のものとしているのは、一九七〇年代のオルタナティヴなアート・プラクティス(制度批判とシステム・アートによって性格付けられる)と、一九八〇年代の市場論理(チャールズ・サーチのコレクションの頻繁な入れ替えが範例となる)とを橋渡ししたことである[8]。一方において、半永久コレクションは、作品の収集と売却が流動的であることから「反コレクション」として機能しており、現代美術の正しいストーリーや権威的なストーリーを拒絶していた。他方、こうしたコレクションの絶え間ない動きは、この美術館を「陳腐な考え方や流行に迎合的[9]」にした。マルシア・タッカーは、後になって認めている――作品収集活動(コレクション)の半永久性は、現在と過去を対話させるというよりはむしろ、現在への偏愛のあまり過去へのアクセスを拒んでいる、と。今日、ニュー・ミュージアムのおよそ六七〇点のコレクション作品は、この美術館の

NEW

ウェブサイトにおいて全く言及されてはおらず、そこには「コレクションをしない機関」と記されている。[10]その代わりにそこで強調されているのは、注目を集めている現存（あるいは亡くなって間もない）作家の個展、グループ展、そしてトリエンナーレである。この美術館の活動は、グッゲンハイム美術館、ホイットニー美術館、ニューヨーク近代美術館、そしてメトロポリタン美術館の活動とさほど変わらない――今ではいずれにおいても現代美術が展示されている。唯一認識できる差異は、ブランド戦略だけである。ニュー・ミュージアムがターゲットにする鑑賞者層は、他よりも若くヒップだ。

MET
MOMA
New
museum

III

コンテンポラリーを理論化する

このような現代美術館の激増にともない、現代美術研究が学問の世界において、世紀の変わり目くらいから急速に成長する主題領域となってきた。ここでは「現代(コンテンポラリー)」の定義が、ひときわ激しく揺れ動く標的となっている。一九九〇年代後期までは、「戦後」、すなわち一九四五年以降のアートと同義と考えられていたが、およそ十年前〔二〇〇〇年代初めごろ〕に、一九六〇年代のどこかから始まるものとして再配置された。現在〔二〇一三年〕では、一九六〇年代と一九七〇年代がハイモダニズム的であると見なされるのが一般的な傾向であり、一九八九年――それは共産主義の崩壊とグローバル市場の発生と同義だ――を新しい時代のはじまりと考えるべきだ、という議論が行われるようになる。[11] これらの時代区分のどれにも賛成論と反対論があるが、その主要な欠点は、いずれもが西洋の認識範囲から出発して区分していることにある。中国では、現代美術のはじまりを一九七〇年代後半(文化大革命の公式の終結と民主化運動のはじまり)とする傾向にある。インドでは、一九九〇年代以降と考えられている。ラテンアメリカでは、モダンとコンテンポラリーとの間に現実の区分がない。なぜなら、この区分をすることは、覇権的西洋のカテゴリーに従うことを意味するからだ。実際、この地域で広く行われている議論は、モダニティが真に実現したのかどうかということである。アフリカでは現代美術のはじまりは、〔各国の〕植民地状態の終結時期によって様々に異なる（公用語が英語やフランス語の国は一九五〇年代後半や一九六〇年代、旧ポルトガル領の場合は一九七〇年代）か、一九九〇年代（南アフリカにおけるアパルトヘイトの終焉、アフリカにおける最初のビエンナーレ、そして『Nka・ジャーナル・オブ・コンテンポラリー・アフリカン・アート』の創刊）くらい最近のことになる。[12]

したがって、言うまでもなく、グローバルな多様性への応用が可能な現代美術の時代区分の試みは、機能不全に陥っている。このため、近年の論者の多くは、それを揺れ動く（*discursive*）カテゴリーと位置づけるようになっている。哲学者ピーター・オズボーンは、コンテンポラリーとは「作動中のフィクション（operative fiction）」であり、それは根本的に想像という生産行為であるとしている。なぜなら、我々は、現在というもの（the present）にはひとつの統一の感覚という属性があると考えているからだ、と。現在というものは、地球規模（グローバル）にちりぢりに分散している複数の時間性を包括しているが、我々はそれら〔すべて〕を把握することはできない、と。したがって、それは停滞の時であるという。[13] ボリス・グロイスにとって、モダニズムとは、輝かしい未来の実現という名において、現在を越えようとする欲望によって特徴づけられるものであった（アヴァンギャルドのユートピアニズムやスターリン主義の五ヶ年計画)。これとは対照的に、現代性(コンテンポラニアティ)とは、「引き延ばされた、潜在的に無期限の遅滞の時」という特徴をもち、これは共産主義の崩壊によって誘発されたという。[14] オズボーンとグロイスの両者にとって、未来志向のモダニズムは、停滞した退屈な現在に取って代わられてしまったのである(「我々は現在において身動きが取れない。なぜなら、現在は、未来へと通じることなく現在それ自体を再生産しているからだ」[15])。グロイスは、ヴィデオループという反復の世俗的な儀式を、時間性とのこの新しい関係性の、現代美術における具体例として指し示し、この関係性は「アートを通じて時間の非歴史的過剰」を創出する、と論ずる。

他の論者たちは、コンテンポラリーとは時間的な乖離に対する問いだと主張してきた。例えば、ジョルジョ・アガンベンはそれを時間の破裂に基づく状態と仮定する。彼は、「同時代性(contemporariness)」とは、「乖離とアナクロニズムをとおして時間に寄りそう、時間との関係性である」とし、この時の得なささや(アンタイムリネス)「非年代性(dyschrony)」によってのみ自身の時代を真に凝視できるとした。[16] 彼は、同時代性(contemporariness)とは、「時代の暗闇に視点を固定させ」られることであり、「反故されるのが確実な約束の時間に間に合う」ことであると喚起させるように記述している。[17] この問いに取り組む数少ない美術史家の一人であるテリー・スミスによる読解にもアナクロニズムは浸透している。彼は、コンテンポラリーは、モダニズムの言説にもポストモダニズムの言説にも等しく抗するものとして位置づけられるべきだと説得力をもって論じている。なぜなら、コンテンポラリーとは二律背反と非共時性によって特徴づけられるからだ、と。それは、相異なる複数のモダニティや現在進行中の社会的不公正の数々、情報通信システムのグローバルな拡張や市場論理の普遍性の主張に反して存続している差異の同時的だが非両立的な共存なのである。[18]

これらの揺れ動く（ディスカーシブ）アプローチは、二つの立場のいずれかに分類されるように思われる。すなわち、現代性（コンテンポラニアティ）は停滞を意味する（例：ポストモダニズムのポスト歴史的な膠着の持続）という立場か、あるいは同時代性（コンテンポラニアティ）／共時間性は、時間性との複数的で乖離的な関係性を主張することによる、ポストモダニズムとの断絶を意味するという立場かに。後者は、もちろん、より生産的である。なぜなら、それは、伝統の廃棄と新しさへの推進力によって特徴付けられるモダニズムの歴史性からも、過去と未来が拡張された現代へと「分裂症的（スキゾフレニック）」に崩壊することと同等なものとされるポストモダニズムの歴史性からも、我々を離れさせてくれるからだ。[19] 多数的な重なり合う時間性を主張することは、疑いなく、一九九〇年代半ば以降、特に東ヨーロッパや中東といった、近年の戦争や政治的大変動を背景として苦闘している国々出身のアーティストによって制作された多くの作品に見られる。[20] 美術史家クリスティン・ロスによると、コンテンポラリーのアーティストたちは、歴史性のモダニズム的体制（レジーム）を「現在化」させるために過去を振り返り、そうすることでその未来性を批評しているという。すなわち彼女が言うには、アーティストたちは、ヴァルター・ベンヤミンのラディカルな非連続性としての歴史へのアプローチよりはむしろ、「近代生活(モダンライフ)への抵抗とその配置転換の形式としての潜在的な（潜在化する）残存物」に興味があるのだ。[21] しかし、他の批評家たちは、これらの芸術的試みは結局、未来展望(プロスペクティヴ)的である以上にノスタルジックで回顧(レトロスペクティヴ)的なのではないかと疑いをかけてきた。ディーター・ロールストラーテは、現代美術が「現在の把握はおろかそれを見ることすらできない、ましてや未来の発掘など到底できない」がゆえに、歴史語りや歴史化に傾いてしまっていることを激しく非難している。[22]

乖離的な複数の時間性（disjunctive temporalities）に対する肯定的なアプローチが、美術史家の間でのアナクロニズムに対する興味の復活のなかに見出される。その中心的な提唱者であるジョルジュ・ディディ゠ユベルマンは、アナクロニズムとは歴史の全体にわたって芸術に非常に広く浸透した作用であり、あらゆる作品のなかにその存在を認めることができるはずだ、と論じている。「それぞれの歴史的対象において、あらゆる時間が出会うこと、衝突しあい、あるいは可塑的に基礎付けあうこと、分岐しあい、あるいはもつれあうこと」[23]。ディディ゠ユベルマンはさらに、アビ・ヴァールブルク（一八六六―一九二九）の仕事を引き合いに出して、芸術作品とは、過去と現在の混合という時間的結び目であるという考えを示した。すなわち、芸術作品は、今という時代におけるひとつの徴候というか

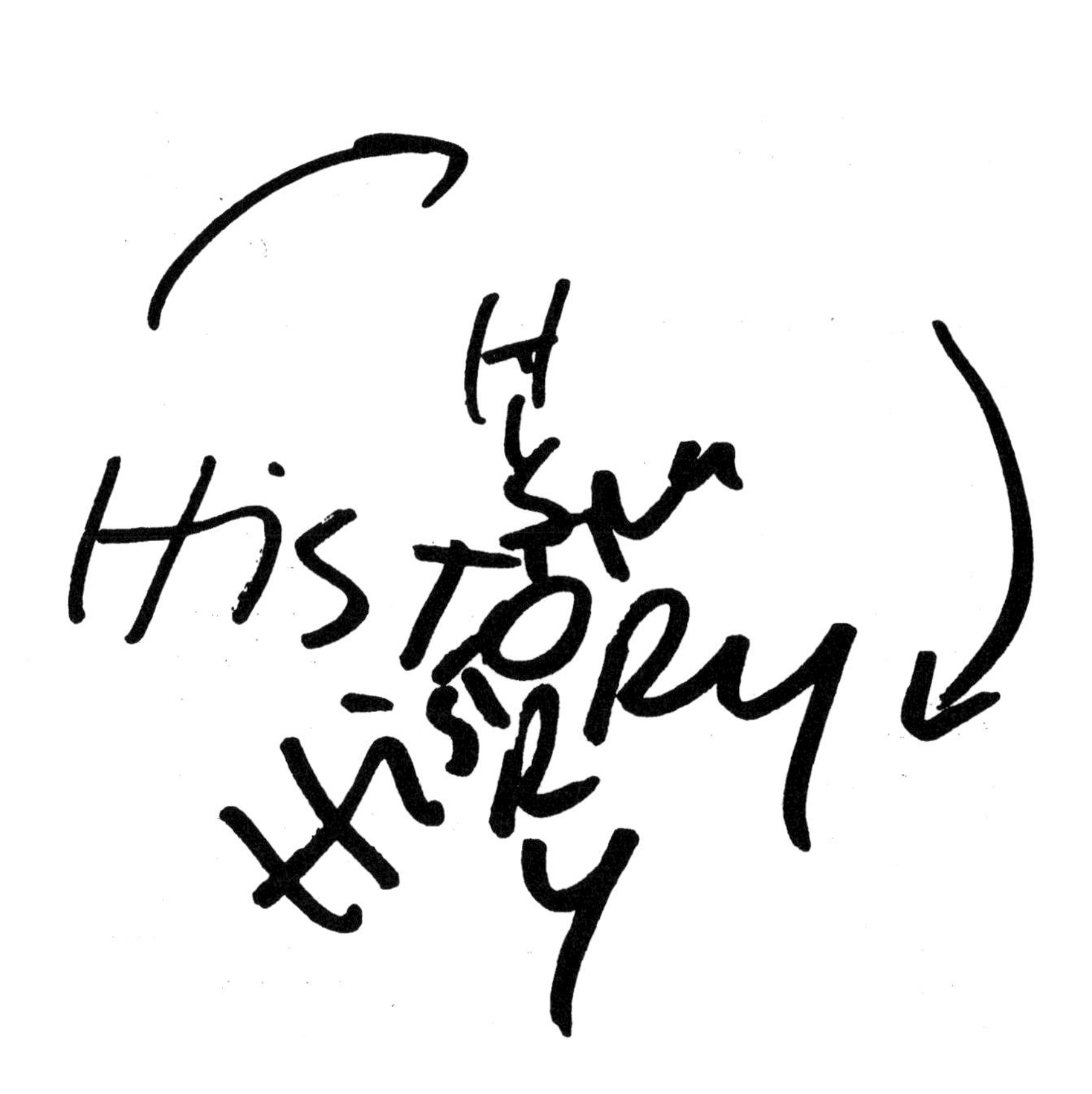
HISTORY

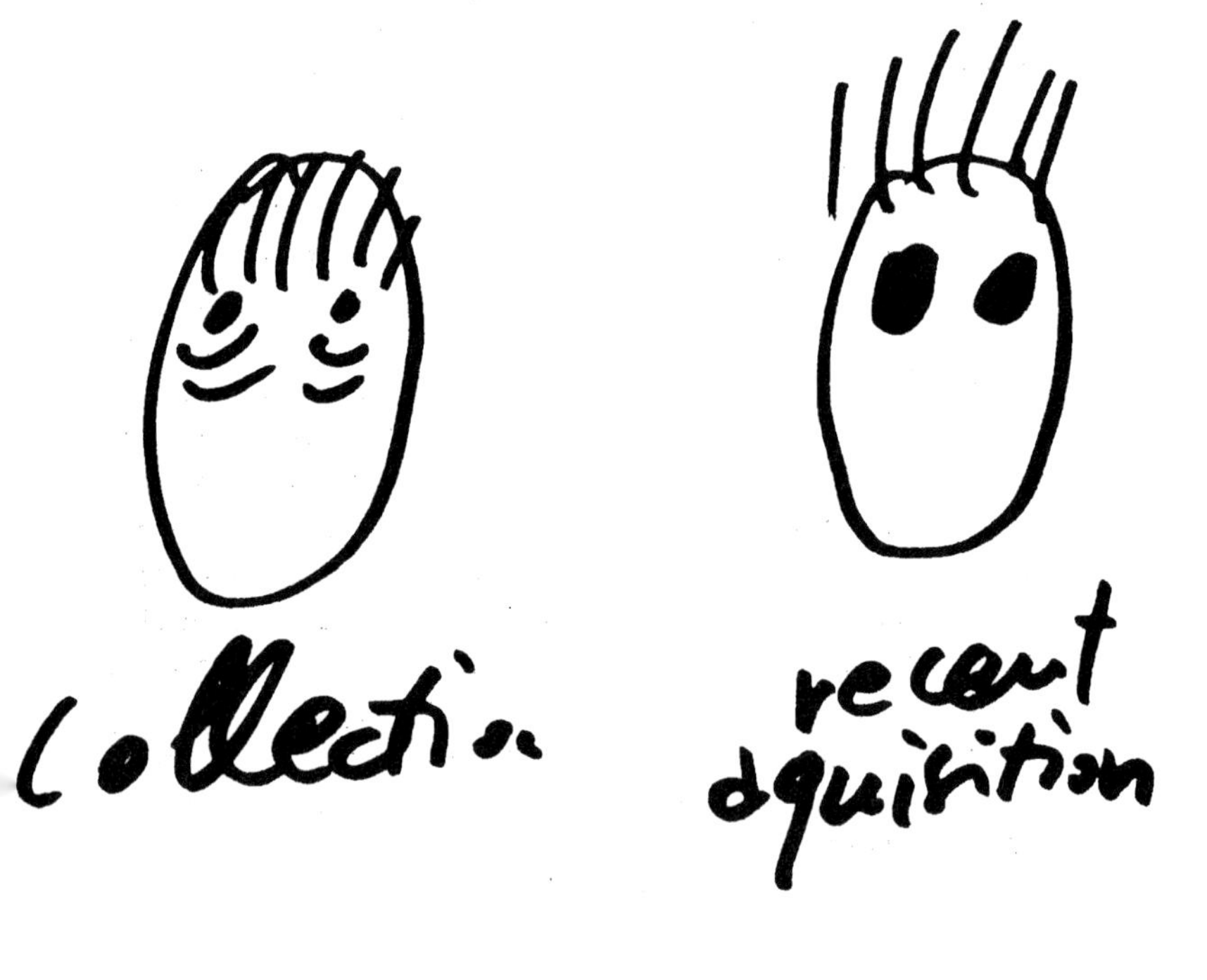

Collection
recent
aquisition

たちで、先行する時代から持続するもの、あるいは「残存する」（Nachleben）ものを目に見えるものにする、と。彼は記している――これらの層化された時間性に近づくには「衝撃、ヴェールの裂け目、時間の侵入ないし出現、プルーストやベンヤミンが〈無意志的記憶〉というかたちで、見事に語っていたこと」[24]が必要である、と。ディディ＝ユベルマンから手がかりを得ながら、アレクサンダー・ナーゲルとクリストファー・ウッドは、著書『アナクロニック・ルネサンス』（二〇一〇年）において、宗教的中世から世俗的ルネサンスへと移行する文化の時代である一五〇〇年ごろの芸術作品における、二つの時間性の共存を論証している。どの対象や出来事も特定の時間や場所に属するという歴史主義的な考えに反する議論（アナクロニズムが根拠とする考え方）をすることで、彼らはそのかわりに、「アナクロニック」という語は、芸術作品が回帰的な時間性を上演する仕方を指し示すものである、と提案しているのだ。[25]

ナーゲルとウッドの研究は注目に値するものではあるけれども、一方向的である。彼らは、自認しているとおり、作品から後ろむきに「逆行分析」しているのである（その作品特有の過去と、それ特有のクロノトポロジー［chronotopology］にむかって）。彼らは、今日という時間についての〈彼らの手段によるものとは〉異なる解釈を準備するためのひとつの手段として初期ルネサンスの研究を必要条件とするような、現在の診断からは出発してはいないのである。[26] それとは対照的に、私が弁証法的同時代と呼ぶものは、多数的な時間性をより政治的な領域のなかへと誘導する試みである。多くの、あるいは、あらゆる時間がそれぞれの歴史的対象の内に現前すると単純に主張するのではなく、我々は、なぜある種の時間性が特定の歴史的契機における個別的な芸術作品に現れるかということを問う必要がある。さらに言えば、この分析は、現在の状況を理解したいという欲望と、どうしたらそれを変革できるかという問いとによって動機付けられている。[27] この方法が現在主義(プレゼンティズム)——歴史的な探究を装った今への没頭——の単なる変化形として解釈されないように、視線はつねに未来に向けられていると強調しておくべきだろう。その最終目的は、今という契機の相対主義的多元論——そこにおいては、あらゆる様式と信念が平等に正当であるとみなされる——を破壊することであり、また、我々はどこに向かいうるのか、どこに向かうべきかという問いを、さらにはっきり政治的に理解することである。オズボーンが主張するように、グローバルなコンテンポラリーが共有されたフィクションであるならば、それはその「不可能性」を意味してはいない。むしろ、新しい政治的想像力の基盤を提供してくれる。アーティストは、世界を再考するためのプロジェクトの輪郭を我々が感知する手助けをしてくれるかもしれないという考えは、現代芸術——それが美術市場とほぼ全面的に重なりあっているにもかかわらず——が、極めて情熱的な興味や関心を喚起し続けている理由のひとつであることは確かだ。

こうした議論において美術館はどこにあてはまるのだろうか？　私の主張は、歴史的コレクションをもつ美術館は、非現在主義的で多数の時間性を帯びた同時代性（コンテンポラニアティ）／共時間性のための最も豊かな試験場になっているということだ。これは、グローバル化されたビエンナーレが現代美術の特権的な場所であるというよく見られる前提とは正反対に位置する。後者の主張の作動論理は、時代精神（Zeitgeist）の追認の内に閉じ込められたままであり、そして〔それが〕過去をいかに誘導しようとも、若い作家たちの引き立て役としてしか役立たなくするようにする傾向にある。もちろん、多くのキュレーターにとって、パーマネント・コレクションの歴史的な重みは、新しい鑑賞者の獲得のために重要な目新しさを妨げる障害でしかない。なぜなら、次々に実施する企画展のほうが、正典（キャノン）たる作品群のさらに別の見せ方を見いだすことよりも、エキサイティングだ（そして、儲かる）と思われているからだ。しかし今日、多くの美術館が、借用を基にする企画展実施のための資金が緊縮財政政策によって削減されていることから、自らのコレクションに向き合うことを余儀なくされている。その状況下、パーマネント・コレクションは、現在主義の閉塞を打ち破るための、美術館にとってのもっとも威力のある武器となりうるのだ。なぜなら、このことは我々に、過去完了形と未来完了形という二つの時制を同時に考えることを要求するからだ。コレクションは、過去の歴史的時代において文化的に重要と認識されたもののタイムカプセルである一方で、そこに加わるより新しい収集作品は来るべき歴史判断を予期するのである（未来において、これは重要と考えられているだろう〔*will have been*〕）。パーマネント・コレクションなしでは、美術館は過去に関わるどのような意味ある主張をするのも困難なのである――しかしまた、未来に関わることもそうだ、と私は請け合いたい。[28]

もちろん、ほとんどの美術館が自館の所有物に関してしてきたことはといえば、年代順展示を止めることがパーマネント・コレクションを再活性化させ、より魅力的で現代的（現在主義の意味において）なものにする最善の手段であるという信念の下に、テーマを工夫した展示しか行わないという実験だけだった。この実験は、一九九九年のニューヨーク近代美術館での「モダン・スターツ（*ModernStarts*）」展から始まった。ＭｏＭＡではこの実験は、規範的な年代順展示の復活が支持されることによってすぐに放棄されたが、しかしこのアプローチは今日もテート・モダンやポンピドゥ・センターで継続されている。[29] しかし、コレクションのテーマ展示が非常に多様な展示を可能にする一方で、歴史への投錨（historical anchoring）という解釈学的問いも生じさせる。もし過去と現在が超歴史的で超地理的な〔テーマ別の〕群れの数々へと崩れ落ちていくのならば、各々の場所や各々の時代の差異はどのように理解されうるのか？　おそらくさらに重要なことには、テーマ展示は、美術館が、あるひとつの新たな歴史的解釈への関与ないし選択――他の解釈へのそれではなく――を表明することの妨げになっているのではないか？　二〇〇〇年以降のコレクションのテーマ展示における相対主義が、美術館のマーケティング――その機関・制度を特定の物語や立場に適合させること

CHRONOLOGY

なしに、あらゆる層の人々を喜ばせる美術展示場という——と完全に同期しているということは容易に指摘できる[30]。二〇〇〇年以降の美術館のコレクションに関するほぼすべての論考が、テート・モダンの四つのコレクション展示が、ニューヨーク近代美術館の「悪い」実例に対する「良い」反論を提示していることを前提としてきているのは、だから印象的なのである[31]。テートはほとんど批判されることがないけれども、テートの歴史へのアプローチは、ニューヨーク近代美術館の年代順展示への傾倒とまさに同じく非政治的である。テートの各コレクション展示室(ウイング)は、コレクション内の各〔芸術運動〕勢力〔シュルレアリスム、抽象主義、ミニマリズム〕のまわりを回転しながら、これらの芸術運動を近年の作品と歴史的先行者の両方に結びつけているが、これらの部屋は取替え可能なモジュールとして、終わることなく再シャッフル可能なものとして提示されている[32]。一方で、展示における年代順配置の不在は、各階のホワイエの壁に掲げられた巨大な年表の存在によって落ち着かないほど過剰なまでに補われており、そこでは、新しく加わったグローバルな作品群を西洋の物語のなかに住まわせることに躍起になっている[33]。

本書の残りの部分で、私は、新たなコレクション展示のパラダイムに目を向けたい。ファン・アッベミュージアム、ソフィア王妃芸術センター、メテルコヴァ現代美術館では、テート・モダンの手法が引き継がれているだけでなく、同時代性(コンテンポラニアティ)/共時間性に関する新しいカテゴリーが提示されている。

これらそれぞれの機関は、歴史との特有の関係という見地から現代美術（コンテンポラリー・アート）を挑発的に再考することを提案するために、自らのコレクションを展示してきた。それは、現在の社会的、政治的切迫感によって突き動かされているもので、それぞれの国民的トラウマによって特徴付けられている——植民地期への罪悪感とフランコ政権期（マドリッド）、イスラムフォビアと社会民主主義の失敗（アイントホーフェン）、バルカン紛争と社会主義の終結（リュブリャナ）。明確に政治的な関心に突き動かされることで、これらの機関は、市場の利害が展示内容に影響を与えているものとしての現代美術館の現在主義的モデルからは距離を取る。これらは、ミュゼオロジー〔美術館学／博物館学〕の実践として、そしてアートと歴史を結びつける（art-historical）方法として、弁証法的同時代性（コンテンポラニアティ）を精巧に作り上げる。

ART

you can get down the press is gone

ファン・アッベミュージアム（アイントホーフェン/オランダ）。Photo: Peter Cox, Eindhoven, The Netherlands

Ⅳ

タイム・マシンズ――ファン・アッベミュージアム

ファン・アッベミュージアムは、一九三六年、アイントホーフェンの地元葉巻製造業者ヘンリ・ファン・アッベのコレクションを基に設立された。この美術館は、一九三六年当時の元の建造物（適度に均整のとれたシンメトリー構造のなかに天窓採光の展示室が並ぶ）と、二〇〇三年オープンの五階建てで講堂も擁するポストモダンな増築棟という二つの建物により構成されている。現在のディレクターであるチャールズ・エシュ（Charles Esche）は、ローセウム現代美術センター（マルメ〔スウェーデン〕）で館長を務め、様々なビエンナーレをキュレーションし（光州、イスタンブール、リワク〔パレスチナのマッサラーで行われるビエンナーレの主催組織〕など）、またスコットランドでは二つのオルタナティヴな機関――グラスゴーのモダン・インスティテュートとエジンバラのプロトアカデミー――を設立することに関わった。その後、二〇〇四年にこの美術館の館長となった。彼の就任以来、ファン・アッベミュージアムは執拗に実験的である。コレクション、アーカイヴ、図書室、滞在制作制度（レジデンシー）といった美術館資源をフル活用しながら、単独の展示室で行われた「プラグ・イン（Plug In）」と称するインスタレーション・シリーズにおいて、この館が所有する作品群を展示するために可能な方法の数々の目録を提示した。[34] この探究の第一段階である「プラグ・イン・トゥ・プレイ（Plug In to Play）」（二〇〇六―二〇〇八年）は美術館展示を、一つの歴史的な物語というよりも、むしろ別個のインスタレーションのシリーズとして捉えるものであり、それらのインスタレーションは、いくつかは館内のキュレーターによって、いくつかはゲスト・キュレーターやアーティストによって企画された。借用を基礎とした企画展を開催することよりも、むしろこの美術館はコレクションを企画展示として用いたのである。[35] こうしたダイナミックな実験期間は三年間続いたが、「プラグ・イン・トゥ・プレイ」は、コレクションの展示として容認されてきた方法の範囲というものを創造的に破壊した――それも途方もなく生き生きとしたやり方で。しかしその一方で難点もあった。それは、彼らがこれらの戦略の展開によってひとつの物語を生み出すかかわりに現実に生産したものは、近現代美術を展示するために可能な選択肢の断片的な一覧表でしかなかった、ということである。[36]

次の段階は、十八ヶ月間に及ぶ四部構成の「プレイ・ファン・アッベ（Play van Abbe）」というプログラムであった（二〇〇九―二〇一一年）。ここでこの美術館は自らを、個別のインスタレーションの連鎖というよりも、相互連結した展示の系列として捉えようと企てた。第一部の「ゲームとプレーヤー（Het Spel en de Spelers / The Game and the Players）」では、組織（インスティテューション）の透明性や歴史の偶然性が強調

「プラグ・イン 18：Kijkdepot（収蔵庫を見る）」の展示風景。「プラグ・イン・トゥ・プレイ」の一部として 2006 年 12 月 16 日－ 2009 年 11 月 15 日に開催。Photo: Peter Cox

「反復：夏季展示 1983 年」の展示風景。「プレイ・ファン・アッベ」の一部として行われた。河原温、ヤニス・クネリス、マルセル・ブロータースの作品。2009 年 11 月 28 日－ 2010 年 3 月 7 日。Photo: Peter Cox

されていた。「美術館における「プレーヤー」とは誰か？　彼らが語るストーリーとは何か？　現館長はどのようにコレクションを提示するのか？　美術館は、現在と過去の両方において、自らをどのように位置づけるのか？」[37]。ひとつの展示では、一九四六年から一九六三年まで館長をつとめたエディ・デ・ウィルデによって収集された作品群が陳列され（「プラグ・イン34」）、その後の展示では、この美術館コレクションの元々の核であったヘンリ・ファン・アッベによって一九二〇年代から三〇年代にかけて購入された二十六点の絵画（国際的に著名な作家による作品はひとつもない）が陳列された（「プラグ・イン50」）。「反復：夏季展示一九八三年（Herhaling: Zomeropstelling 1983 / Repetition: Summer Displays 1983）」では、かつての館長であったルディ・フクスによってキュレーションされたコレクション展示を再現し、以前の保守的な時代を我々が今日どのように感じるかと問うことで、フクスとエシュとの間のアプローチの明確な対照を描き出した[38]。これらのキュレーションの枠組みは、展示作品を二重の時間性に従属させた。それは、現在において語っている個人の声であるとともに、過去のある歴史的契機においては不可欠なものと考えられていた集団的な合唱である。

「プレイ・ファン・アッベ」の第二部は、「タイム・マシンズ（TIJDMACHINES / Time Machines）」と名づけられた。これは、「美術館の美術館」、「コレクションのコレクション」たろうとするこの美術館の大望から生じたものであり、そこで指し示したものはイデオロギー的な展示の歴史であり、展

「退廃芸術展」（1937 年）と「大ドイツ芸術展（Große Deutsche Kunstausstellung）」（1937 年）のアーカイヴ展示（画面左）および展覧会展示の歴史（画面右）の展示風景。「プレイ・ファン・アッベ：タイム・マシンズ――リローデッド」（2010 年 9 月 25 日－2011 年 1 月 30 日）の一部分。Photo: Peter Cox

イタリア人建築家リナ・ボ・バルディが 1968 年にサンパウロ美術館（MASP）のために行った美術館デザイン。「プレイ・ファン・アッベ：タイム・マシンズ――リローデッド」（2010 年 9 月 25 日－2011 年 1 月 30 日）の一部分。Photo: Peter Cox

示の原型やモデルであった。ここでも、反復をポイントとする戦略が採られた。一九六〇年代に館長を務めたジャン・リーリングは、歴史的に名高い環境芸術作品（environments）を再構築したものを収集するプロジェクトをはじめたが、この美術館はこれを復活させた。二〇〇七年に彼らは既にアレクサンドル・ロトチェンコによる《労働者クラブ》（一九二五年）の再構築を委託していたが、二〇〇九年にはモホリ＝ナジ・ラースローの《現代の部屋》（一九三〇年）を再制作し、アーティストのウェンデリン・ファン・オルデンボルフを招聘し、リナ・ボ・バルディによるサンパウロ美術館での展示システム（一九六八年）を再構築させ、さらには、ベルリンのアメリカン・アート美術館に委託し、エル・リシツキーによる《抽象キャビネット》（一九二七―一九二八年）を再制作した。第三部「収集の政治――政治の収集（De Principes van Verzamelen – Het Verzamelen van Principes / The Politics of Collecting – The Collecting of Politics）」では、東ヨーロッパと中東のコンセプチュアルな傾向のアートを特集した。これらの地域が選ばれた理由は、前者については、この地域のそれらのアートが共産主義の過去と可能なる未来に関わっているからであり、後者については、この地域のそれらのアートが現代のオランダにおけるイスラムフォビア〔恐怖症〕に向けて語りかけるものであると同時に、ヨルダン川西岸地区で継続中の占領〔イスラエル人の入植〕に反対するアート・プロジェクトのためのひとつのプラットフォームを提供しているからである。例えば、《パレスチナのピカソ》（二〇一一年）は、アーティストでパレスチナ国際美術アカデミーのディレクターでもあるハーリト・ホーラーニーの提案によって実

《パレスチナのピカソ》の展示風景。パレスチナ国際美術アカデミー（ラマッラー）で2011年6月24日－7月20日に行われたパブロ・ピカソの《女の胸像》（1943年）の展覧会。Photo: Ron Eijkman

ベルリン・アメリカン・アート美術館の展示風景。ニューヨーク近代美術館についての民族誌的展示とエル・リシツキーの《抽象キャビネット》の再構築。「プレイ・ファン・アッベ：タイム・マシンズ——リローデッド」（2010年9月25日－2011年1月30日）の一部分。Photo: Peter Cox

現したプロジェクトで、一点のピカソの絵画〔ファン・アッベミュージアムの収蔵品〕が初めてパレスチナへもち込まれ、彼のアカデミーで展示するというものであった。[39] そして、最終の第四部「巡礼者、観光旅行者、遊歩者〔そして労働者〕(De Pelgrim, de Toerist, de Flaneur [en de Werkwer] / The Pilgrim, the Tourist, the Flaneur [and the worker])」は、三つの異なる、見るということをする人の有り様(spectatorship)のモデルを、これらの認識論的なバイアスを明白なものとするオーディオ・ガイドを使いながら、提示した。[40]

エシュは、自身のコレクションの再編を、一九八九年の政治的大変革と、それ以降美術館にもたらされた変動に直接的に関連づけている。その変動は、〔美術の〕制度(インスティテューション)／機関／施設が、ずっと密接に市場を追随するようになり、コレクションの地理的範囲を広げ、建物の拡張によって物理的限界を拡大させるかたちで現れている。一九八九年以降、変幻自在の物語の数々が統一的な美術史の言説に置き換わってきているように思われるが、エシュはこういった状況に抗うように、美術館の任務とは、ひとつの位置(ポジション)に立つことにあると論じている。その理由は、相対主義が市場における支配的な物語であり、そこでは交換価値によってすべてが均一化されているからだ、という。それゆえに、エシュの館長としての選択や優先事項は、一連の理想と同定可能な関心の周囲に根拠を置いているのである。それらを以下に挙げてみる。近代美術が有する解放を求める衝動と、現代美術のある種の潮流のなかにおけるその持続（例えば、ファン・アッベミュージアムのコレクションには、ダミアン・ハースト、ジェフ・クーンズ、マシュー・バーニーといった市場で評判の地位にある者たちの作品が存在しないことは注目に値する）。文化的国際主義の記憶や惑星的思考の必要性――それらは、この美術館が、共産主義の遺産やその再活性化の可能性を継続的に強調していることによって示されている。複数の歴史の語り直しの社会的価値――それは、新たな眺望を切り開くために周縁化された歴史や抑圧された歴史を再訪問することによって、想像された複数の他なる未来に通じている。これらの意欲的な問いは、この美術館によるアーカイヴやドキュメンテーションの創造的な使用――それらは頻繁に展示に取り入れられている――と相まって、この現代美術館を、歴史を物語る政治的闘士（パルチザン）として位置づけるのである。しかし昨年（二〇一二年）、ファン・アッベミュージアムは、低入館者数や文化的起業家精神の拒否に対する市議会の異議によって、二十八パーセントの予算削減に脅かされた。皮肉にも、この不服申し立ては社会民主党によって行われたものであり、彼らにとっての解決策は、よりポピュリズム的なブロックバスター展の実施であった。オンライン上の国際的支持と陳情運動にも一部助けられたこともあり、削減は結果的に十一パーセントにまで減少した。

ソフィア王妃芸術センター（マドリッド）。サバティーニ棟。Photo: Joaquín Cortés

V

共有物（コモンズ）のアーカイヴ――ソフィア王妃芸術センター

革新的な展示デザインがファン・アッベミュージアムにおける歴史についての展示の中心的なものであったのに対して、ソフィア王妃芸術センターでは、二十世紀美術の展示に対するより古典的なアプローチがとられている。一九二二年に設立されたソフィア王妃芸術センターは、マドリッドの中心部に二つの巨大な建物を占有している。ひとつはフランチェスコ・サバティーニによって十八世紀に設計された病院で、もうひとつはジャン・ヌーヴェルによる大きな増築棟である。現在の館長であるマヌエル・ボルハ＝ビリェル（Manuel Borja-Villel）は、バルセロナ現代美術館（ＭＡＣＢＡ）で館長職を十年務めた後、二〇〇八年に就任。強調すべきことは、ファン・アッベミュージアムとソフィア王妃芸術センターがともに古い建造物と新たな増築棟によって出来上がっているという形態的な類似点があるにもかかわらず、両者は同じでは全くないという点である。前者は、オランダの小都市の地方美術館であり、後者は、スペインの首都における国立の現代美術館で、プラド美術館、ティッセン＝ボルネミッサ美術館という二つの主要な美術コレクションとともに三巨頭をなしている。ソフィア王

ジッロ・ポンテコルヴォ《アルジェの戦い》(1966年)、クリス・マルケルとアラン・レネ《彫刻もまた死す》(1953年)、およびフランツ・ファノン、クロード・レヴィ＝ストロース、アルベール・カミュなどの出版物の陳列ケースの展示風景。Photo: Joaquín Cortés

妃芸術センターでは、名作群からなるコレクションや中心部という立地によって、入館者数への懸念が全くないということが保証されている。したがって、ここでこの美術館に向けられる問いは、人々が美術館を訪れるのかどうかというものでなく、人々が**どのように**作品を見るのかということである。

一見したところでは、ソフィア王妃芸術センターのプログラムは、有名作家の個展やグループ展が目立ち、ビジネス的である。しかしパーマネント・コレクションの展示は、この数年の間に重要な変化を遂げた。この美術館は、スペイン自体の歴史をより大きな国際的文脈のなかに位置づけることで、この国の植民地主義的過去を自己批判的に表象することを採用するようになったのだ。

パブロ・ピカソ《三つの羊の頭部》（1939 年）とアラン・レネ《夜と霧》（1955 年）の展示風景。「分断された世界におけるアート（1945-1968）」（2012 年）の一部分。Photo: Joaquín Cortés

パブロ・ピカソ《ゲルニカ》（1937 年）、印刷物およびスペイン共和国館（1937 年）の模型の展示風景。Photo: Joaquín Cortés

例えば、コレクション展第三部「反乱からポストモダニティへ（一九六二―一九八二）（De la revuelta a la posmodernidad [1962-1982] / From Revolt to Postmodernity [1962-1982]）」の展示室（の一室）は、アニエス・ヴァルダによる組写真《キューバはコンゴではない》（一九六三年）からはじまり、その一方にはジャン＝ポール・サルトルとアルベール・カミュの出版物が入った陳列ケースが、クリス・マルケルとアラン・レネによって作られたアフリカ美術とその植民地主義の影響についての映画《彫刻もまた死す》（一九五三年）のそばに展示されている。真ん中には、ジッロ・ポンテコルヴォの反植民地主義映画《アルジェの戦い》（一九六六年）が大きく映写されている。こうした展示が典型となっているように、このコレクション陳列の最も注目すべき特徴は、映画と文献が視覚芸術作品とともに存在していることである。キュビスムの展示はバスター・キートンの映画《文化生活一週間》（一九二〇年）の大きな映写からはじめることで、絵画と大衆文化の両方が同時期に歪んだ遠近感の形態を援用していたことへと注意を向けさせる。感情的にもっとも衝撃的な展示部門のひとつである「〔戦争は終わったのか?〕分断された世界におけるアート（一九四五―一九六五）（¿La guerra ha terminado? Arte en un mundo dividido [1945-1968] / Is the War Over? Art in a Divided World [1945-1968]）」では、最初の展示室にはリー・ミラーがブーヘンヴァルト強制収容所における米軍兵〔と収容者の死体〕を写した写真（一九四五年）、そのすぐ隣にはピカソによる二つの作品――ピエール・ルヴェルディの詩〔画〕集『死者たちの歌』のための挿絵（一九四六年）、絵画《三つの羊の頭部》（一九三九年）――が展示されている。そして、そ

アンテルナシオナル・レトリストの出版物、詩の朗読の録音、映画の展示風景（2012年）。
Photo: Claire Bishop

の横には、アラン・レネによるホロコーストについてのドキュメンタリー映画《夜と霧》（一九五五年）が大きく映写されている。すぐに隣の部屋には、アントナン・アルトーのラジオ録音音源《神の裁きと訣別するため》（一九四七年）が流されている――この残酷と不条理の演劇は、第二次世界大戦という言い表せないほどの恐怖の後における美的意味の回復の不可能性を表現している。

拡張された歴史的文脈化への傾倒は、コレクションの呼び物であるピカソの《ゲルニカ》（一九三七年）の展示にも見られる。この作品はいまも、ピカソの素描群と絵画群が陳列されている数室の展示室の真ん中に展示されているが、しかし現在はスペイン内戦期の他の作品群——プロパガンダのポスター、雑誌、戦争画、《ゲルニカ》が一九三七年に最初に展示された〔パリ万博の〕スペイン共和国館の模型などを含む——に囲まれている。《ゲルニカ》は、ジャン゠ポール・ドレフュスによるスペイン内戦のドキュメンタリー映画《スペイン1936》の展示室のちょうど真正面に設置されている。したがって、内戦のトラウマや破壊の映像的記録と、ピカソの絵画的解釈とが、二つのモノクロームのルポルタージュとして対峙しているのである。その結果、《ゲルニカ》は、形式的な革新性や並外れた才能といった美術史上の言説のなかというよりも、むしろ社会的で政治的な歴史のなかに位置づけられることになる。視覚文化の内部におけるアートの文脈化へのこうした注目は、この美術館のいたるところで見ることができる。ここでは、よそであれば視覚性の欠如のために収蔵庫へと追いやられてしまうような運動（レトリスムやシチュアシオニスト・インターナショナルなど）にも、いまは相応のスペースが与えられ、出版物、映画、新聞の切り抜き、録音記録といったかたちで展示されている。

これらすべての展示室はアートを、時代区分という観点においては、コンテンポラリーというよりもモダンとして慣習的に考えられているものとして提示しているが、私は、ここでの展示の全体的なシステムは弁証法的に同時代的（コンテンポラリー）であると論じたい。キュレーターたちが指摘しているとおり、この美術館が提示している作品の布置においては、もはや慣習的な表現媒体は優先的なものではなく、その布置は、解放的な諸伝統への関与によって突き動かされていて、他の様々なモダニティ（特にラテンアメリカの）を認知しているのである。[41] その一方で、有期のグループ展は、この美術館の総合的な使命やコレクション・ポリシーを再考する試験場として用いられている。例えば二〇〇九年、この美術館は、アリス・クライシャー、アンドレアス・ジークマン、マックス・ホルヘ・ヒンデレルによるキュレーションの展覧会「ポトシの原理（Principio Potosí / The Potosí Principle）」を開始した。この展覧会は、現代の資本主義の発祥地をイングランド北部の産業革命あるいはナポレオン時代のフランスとするのではなく、植民地時代のボリビア（の都市ポトシ）の銀鉱山でありうると主張した。[42] ここでの展示では、十七世紀の植民地絵画と、グローバリゼーションに対して（特に、中国、ドバイ、ヨーロッパにおける新自由主義のエリートによる移民労働者の搾取に対して）批判的なアーティスト／アクティヴィストの近作が並置され、植民地化の二つの形式の間の関係性が示唆的に引き出された。[43]

ソフィア王妃芸術センターの展示活動は、この美術館の活動のなかでも最も可視的で象徴的なものであり続けてはいるけれども、しかし舞台裏にも深く浸透しており、収集方針、研究、教育普及に影響を与えている。ボルハ＝ビリェルは、現代美術館（コンテンポラリー・ミュージアム）というものを再考する方法を練りあげるために、モダン、ポストモダン、コンテンポラリーという三つの異なるモデルを下支えする動的関係性を表現する三角形の図式を援用している。それぞれの図式において、角Aは道案内のための物語

「ポトシの原理：いかにして我々は異境で神の歌を歌いうるのか」（2010年5月12日－9月6日）の展示風景。Photo: Joaquín Cortés

や動機づけを指示し、角Bは媒介構造を表し、そして角Cは美術館の目的地や目標をほのめかしている。[44] MoMAによって体現されている近代美術館（モダン・ミュージアム）のモデルにおいて、道案内のための物語は、直線的な歴史の時間であり、西洋中心的な地平の上の未来に向かって前進する。その装置（*dispositif*）はホワイトキューブである――このことは公共（パブリック）／公衆についての近代的観念となるよう運命付けられている。テート・モダンやポンピドゥ・センターによって体現されているポストモダン美術館のモデルにおいて、仕掛けは多文化主義であり、それは同時代性（コンテンポラニアティ）とグローバルな多様性との均衡のなかに見出される。その媒介構造はマーケティングであり、経済的に量化可能な「鑑賞者たち」の多数的な人口構成に向けられている。[45]

これらのシナリオに対するボルハ＝ビリェルによる代案は、「脱植民地的であること」（グローバル・サウスの視点から世界を見ること）や共有物（コモンズ）（集団的所有についての新しいモデルを生み出そうとするもの）について彼が近年に書いたものが教えてくれる。したがって、この美術館にとっての出発点は**多数的な近代性**（*multiple modernities*）であり、前衛的なオリジナルとそこから派生する周縁という観点から考えられるひとつの美術史ではもはやない。なぜならその美術史は常にヨーロッパの中心性を優先視していて、一見したところ「遅れている」作品がそれら自身の文脈においては他なる価値をどの程度もつかということを無視するからだ。他方ここでの仕掛けは、**共有物のアーカイヴ**（*archive of the commons*）、すなわちすべての人たちに開かれたコレクションとして新たに構想されるものである。なぜならば、文化とは、一国の財産の問題ではなく、ユニバーサルな資源の問題であるからだ。一方、この美術館の最終的な目的地は、もはや市場人口統計学がはじき出す多数的な鑑賞者層ではなく、**ラディカルな教育**（*radical education*）である。芸術作品は、秘蔵の宝として理解されるのではなく、それを活用する者を心理的、身体的、社会的、政治的に解放する目的のために「相関的なオブジェ」（リジア・クラークの言葉を使うなら）として動員されるのである。ここでのモデルは、ジャック・ランシエールの「無知な教師」のそれであり、鑑賞者と美術館（インスティテューション）の間の知性の同等性という想定を基礎としている。[46]

これらの考えは、ソフィア王妃芸術センターにおいて具体的に実行されはじめている。レッド・コンセプトゥアリスモス・デル・スール（Red Conceptualismos del Sur）は、ラテンアメリカの独裁制の下に生み出された政治的対抗としてのコンセプチュアル・アートの実践やローカルな歴史を守るべく二〇〇七年に創設された研究ネットワークであるが、この美術館と彼らとの協同作業によって多数的な近代性（マルチプル・モダニティーズ）の問題が問われた。[47] このネットワークとの協働は必然的に、この美術館によるこの地域の作品の収集の仕方に影響を与えている。ラテンアメリカにおいてテート・モダンがしているように、そして東ヨーロッパにおいてウィーンのいくつかの機関がしているように、アーティストが保有しているアーカイヴを買い占めるのではなく、ソフィア王妃芸術センターは新しい方法を考案している。例えば、チリのグループＣＡＤＡ（集団的芸術行動［Colectivo Acciones de Arte］、一九七九―一九八五年）は最近、彼らのアーカイヴのソフィア王妃芸術センターへの提供を申し出たが、これは彼らがチリの機関による保管を信頼していなかったがゆえだ。ソフィア王妃芸術センターは二人の研究者を派遣し、このアーカイヴの目録を作成させ、チリの機関が確実に保管できるよう力を尽くした。その見返りとして、この美術館はアーカイヴの展示用コピーを受け取った。ＣＡＤＡの場合、作品は主にパフォーマンス、行動、ある状況への介入であるので、アートとドキュメンテーションの間の境界線は無視してもかまわない。しかし、こうしたドキュメンテーションの地位は、二十世紀後半における最も政治的に状況と関わるアートの意味をますます明白なものにしている。[48] したがって、自ら

2012–2013年期の「批判的実践における上級学習プログラム」の一環として行われた「Somateca〔身体的〕」セミナーにおいて語るベアトリス・プレシアード。
Photo: Joaquín Cortés / Ramón Lores

を「共有物(コモンズ)のアーカイヴ」として再定義するために、ソフィア王妃芸術センターは「ドキュメンテーション」としての芸術作品群を法的に再分類しようと試みているのである[49]。この再分類によって、芸術作品へのアクセスのしやすさが増している。例えば、人々はこの美術館の図書室に行けば、作品に関する出版物、一過性資料、芸術作品の写真、書簡、印刷物、その他の文字資料といったものと一緒に、それらを手に取ることができるのである[50]。

最終的に、教育普及がこれらの

活動を集約している。この美術館は、他者を表象すること（例えば、遠方の文化からの作品収集による）だけでは十分だと思っておらず、ソフィア王妃芸術センターの知的文化とさまざまな社会的運動との間の調停や連帯の新しいかたちを見出すことを必要としている。したがって、この美術館における教育普及プログラムは、子どもや若者や学生を対象とした通常の鑑賞教育だけに限られてはいない。こうしたものすべては存続しているが、中身はいくぶん変化してきている（例えば、「鑑賞者を鑑賞する」というワークショップでは、美術館がとりとめのない装置であることをティーンエイジャーたちが気づかされる）。美術館の教育普及予算は長期プログラムの維持に割り当てられている。例えば「批判的実践における上級学習プログラム（Programa de Estudios Avanzados en Prácticas Críticas）」もそれにあたる。これは、六ヶ月の無料セミナーで、景気後退や高い失業率のために市内でもっとも不満を抱いている社会集団のひとつの成員である若いアーティスト、研究者、アクティヴィストを対象としている。[51] 今のところ公的資金によって、これらすべての提案の費用負担が同意されているが、二〇一一年十一月における右派の国民党政権の成立によって、すでに予算の十八パーセントが削減されている。

メテルコヴァ現代美術館（MSUM）（リュブリャナ/スロヴェニア）。
Photo: Dejan Habicht

VI

反復——メテルコヴァ現代美術館　リュブリャナ

コンテンポラリーをキュレーションすることについての私の三番目の、そして最後のモデルは、リュブリャナのメテルコヴァ現代美術館（Muzej sodobne umetnosti Metelkova、略称ＭＳＵＭ）である。この美術館は二〇一一年秋に開館した。スロヴェニアの建築会社グロレガ・アーヒテクティによって設計され、メテルコヴァに位置する。ここはユーゴスラヴィア時代の旧軍事施設で、一九九〇年代には無断占拠（スクワット）されていて、現在もある程度はこの都市のオルタナティヴ・カルチャーの中心地であり続けている。この美術館のディレクターであるズデンカ・バドヴィナク（Zdenka Badovinac）は、一九九三年よりリュブリャナ近代美術館の館長を務めている。この館はメテルコヴァ現代美術館の管理運営も行っており、彼女のもとで働くスタッフは両館をまたいで仕事をしている。言うまでもないことだが、リュブリャナ近代美術館とメテルコヴァ現代美術館の年間予算は、ファン・アッベミュージアムのそれとはほとんど比較対象にならないほどであり、ましてやソフィア王妃芸術センターのそれとはなおさらである。この館についてこの論考で言及する理由のひとつは、発達したアート・システムをもたない小さな都市が、資金難にどのように対処できるかということを示したいからである。（リュブリャナの唯一の商業ギャラリーは、最近になってベルリンへ移転した——この大都市には、スロヴェニアの代表的なアーティストの何人かも現在拠点を置いている。）最初の二つの例とは違い、リュブリャナはまた、「多数的な近代性（マルチプル・モダニティーズ）」の横断面に位置する現代美術のケーススタディを提供してくれる。スロヴェニアは、ユーゴスラヴィアの崩壊に続いて一九九一年になってやっと独立したが、民族紛争——ボスニアとクロアチアにおいては最も強烈であった——によって急速に引き裂かれた地域に位置している。したがって美術館は、二つの相反する方向性を両立させなければならない。ひとつは国民国家（ネーションステート）というものを表象したいという欲望、もうひとつは、トランスナショナルな（ないしはポストナショナルですらある）文化生産に固執する、グローバル化された現代美術の世界において、自らの立場を確保するという義務である。

歴史の表象についての問いは、旧ユーゴスラヴィアの国々全体にわたる美術館において格別に問われている。一九四五年から一九八九年までの時代のアートをどのように収集し展示するかを決める際に核となる問いのひとつは、頻繁に接触があった西欧（特に近隣国のイタリアやオーストリア）のアートと同じ線上に並ぶ——スロヴェニアの場合はそうである——、あるいは、接触はより少なかったが、そのイデオロギー的な文脈において旧ユーゴスラヴィアと比較しやすい、旧ソヴィエト・ブロックのアートと同一化するかということである。[52] 議論の的となる第二の領域は、一九九〇年代のユーゴスラヴィア紛争に関するものであり、ここにおいて歴史を表象することはほぼ間違いなくさらに緊迫したものである。この地域を破壊した戦いや大量虐殺というトラウマを、どのように認知し展示するのか。これらの問いに対しては、旧ユーゴスラヴィアの国々それぞれによって非常に異なる応答がなされている。ザグレブには、新しく巨大な現代美術館（MSU）が二〇〇九年に開館した。主に一九六〇年代以降のユーゴスラヴィアのアートによって傑出したコレクションが形成されているが、紛争〔のトラウマ〕という重荷の多くは、セリア・カメリックの《ボスニアの少女》（二〇〇三年）によって担われている。この作品はビルボード大の自画像〔写真〕で、そこには「歯がない……？／髭がある……？／糞のように臭い……？／ボスニアの少女だ！（No teeth...? A moustache...? Smel（ママ）like shit...? Bosnian girl!）」という〔英語の〕文字が上書きされている。これは、一九九四年にスレブレニツァ付近でひとりのオランダ兵士が書いた落書きから採った言葉である。かみつくようでありながらも魅力的なビルボードとして発信されているので、紛争のトラウマはほとんど再浮上することはない。これとは対照的にサラエヴォでは、国立美術館が政府の援助と出資の不足から二〇一一年九月に閉館、国立博物館も二〇一二年一〇月に同様の道を辿った。[53]

リュブリャナにおいて、鑑賞者が最初に遭遇した展示のタイトルは「戦争の時間」である。そこでは、一九九三年のメテルコヴァの占拠〔スクワット〕を捉えた撮影者不明の小さなドキュメンタリー写真が、ボスニア人女性に対するレイプを暗示する、皮膚の上に記されたテキストを捉えたジェニー・ホルツァーによる写真シリーズ《暴行殺人》とともに展示されている。以降、この美術館での全体の展示は、重なり合う複数の時間性に関わるカテゴリーのテーマをめぐって構成されている——「イデオロギーの時間」（社会主義の過去）、「未来の時間」（実現されていないモダニズム的ユートピア）、「不在の美術館の時間」（アーティストたちが自己組織化と自己批判によって、発達したアート・システムの不在を埋め合わせていた、おおよそ一九八〇年代から一九九〇年代）、「回顧の時間」（アーティストたちが自己を歴史化しはじめた一九九〇年代後期）、「生きられた時間」（ボディ・アートとパフォーマンス・アート）、「移行の時間」（社会主義から資本主義へ）、「支配的な時間」（現在のグローバル・ネオリベラリズム）[54]。したがって、現代美術（コンテンポラリー・アート）は、歴史の流れというベルトコンベア上の一場面としてではなく、**適時性**（*timeliness*）の問いとして賭け金となっているのである。〔この意味での現代美術として〕妥当であるための必要条件は、多数の重なり合う時間性を表象することであり、それは社会的平等が行き渡る未来を想像することへと向けられている[55]。

これらの展示は、この美術館の開館展「現在と存在（Sedanjost in prisotnost / The Present and Presence）」の重要部分を形成していた。本展は、現代美術を理解する上でこれら二つの語が重要であると強く主張した。「現在」は、スロヴェニア（そして、より広い意味ではヨーロッパ）がいま生きている時代であり、共産主義の失墜とともにはじまったものだとされている。これとは対照的に「存在」は、資本主義（過去への回帰とみなされている）と未来志向の共産主義の両方に反対することにおいて賭け金となっているものである。それは、進歩というモダニズムの決して後ろを振り返らない前進ではなく、モダニティが抑圧してきた意識を呼び起こすものなのだ。だから、この美術館の任務のひとつは自己反省（self-reflection）――ユーゴスラヴィアの「自主管理（self-management）」という理想を、バドヴィナクが呼ぶところの「現代美術の真の関心事」と比較する試み――である。[56] ここで再び同時代性（コンテンポラニアティ）／共時間性は、時間性との二律背反的な関係性として、賭け金となっている。テートにおける「すべての人々のための何か」的な相対主義とは異なり、MSUMは「解放的な社会的潜在力をもつことが歴史的に証明されてきた伝統の側」を支持することに傾倒しているのだ。[57] これが意味しているのは、集団的な経験のための可能性の地平を拡大するために、現代美術市場における一流選手たちを遠ざけることだけではなく、歴史的に見過ごされてきた諸実践に場を与えることでもある。例えば、リュブリャナ近代美術館のコレクション常設展示「二十世紀――連続と断絶（20. stoletje. Kontinuitete in prelomi / the 20th Century: Continuities and Ruptures）」の一部である「パルチザン抵抗のアート」は、反ナチス勢力によって制作された素描や版画を、二十世紀の他の芸術運動と等しく重要なものとして展示した。[58]

資金に関して言えば、状況は惨めなほどに見慣れたものである。二〇一二年の選挙によって新自由主義のスロヴェニア民主党に政権が戻り、その結果この美術館は文化資金の大幅な予算カットに苦しんでいる。この美術館はこのことに、開館時のコレクション展示を繰り返すこと（*repeating*）——わずかの規模拡大と形式修正は行っているが——によって対応している。「現在と存在——反復1（Sedanjost in prisotnost – ponovitev 1 / The Present and Presence – Repetition 1）」展は、この反復を五項目のマニフェストにおいて正当化した。最初の項目は、財政上の現実を陳述する——新しい展示やカタログは予算カットによって不可能であるから、リサイクルが必要である、と。のこりの四つの項目では、反復することとの妥当性が論じられる。来館者に新しさを提供しなければならないというプレッシャーに屈服するのではなく、美術館は再読解の価値を提唱する。反復とは、現代美術の根本的な特徴のひとつである（ヴィデオループ、再上演など）がゆえに、コレクション展示をまるごと繰り返すことは妥当である。反復は歴史を構築する——出版活動や研究や美術市場を通じて——がゆえに、展示の繰り返しは、歴史を生み出す諸反応を構築することに遡及的に役立つ。最後に、反復はトラウマによって駆動される。リュブリャナにおいて、これには二重の意味がある——現代美術のシステムのトラウマ的な不在と、実現していない共産主義の解放的理想、という。この美術館はその後「現在と存在」を、「反復2」（二〇一二年一〇月—一一月）、「反復3」（二〇一三年一月—六月）とさらに二度行い、それぞれ、運動、ストリート〔というテーマ〕に焦点を合わせていた。[†]

IRWIN《東側アート地図》（2000 － 2005 年）の展示風景。「現在と存在」（2011 年）の一部分。Photo: Dejan Habicht

†訳注：その後「現在と存在」展は、「反復」に番号を付したサブタイトルの下、二〇一五年まで九回行われた。各回のテーマは以下のとおり。「反復4」（二〇一三年）、「ミクロ政治的状況」。「反復5」（二〇一四年）、「ダブル」。「反復6」（二〇一四年）、「君自身をインストールせよ」。「反復7」（二〇一四―二〇一五年）、テーマは明言されていない。「反復8」（二〇一五年）、「私的な決断の時間」。「反復9」（二〇一五年）、テーマは明言されていない。http://www.mg-lj.si/en/exhibitions/246/msum-the-present-and-presence-repetition-1/ を参照のこと。

歴史的自己反省という形式における反復はさらに、アーカイヴ的な作品の展示においても強く主張されている。「身体と東側陣営のアーカイヴ（Arhiv Body and the East/The Body and the East Archive）」は、一九九八年に行われた、東ヨーロッパのボディ・アートの歴史的全体像を初め

「身体と東側陣営のアーカイヴ」の展示風景。「現在と存在——反復1」（2012年）の一部分。Photo: Dejan Habicht

て概観した、リュブリャナ近代美術館の代名詞になるような重大な展覧会を再訪問するものであった。また「ボスニア・アーカイヴ（Arhiv Bosna/Bosnia Archive）」は、サラエヴォに将来造られる現代美術館（二〇〇〇年までには開館するよう計画されていたが、今日もまだ実現していない）のために国際的に重要なアーティストたちの作品を収集するという、リュブリャナ近代美術館の一九九六年のプロジェクトの記録展示である。「パフォーマンス・アートのアーカイヴ（Arhiv performansa / An Archive of Performance Art）」は、このタイプの実践を未来の世代へ伝えることを可能にする数多くの仕方（写真、ヴィデオ、オブジェ、再パフォーマンス）を紹介する。「生成中のアーカイヴ（Arhiv v nastajanju / Archive-in-Becoming）」では、数々の口承の歴史《オーラル・ヒストリー》（この地域出身の重要なアーティストたち

「パフォーマンス・アートのアーカイヴ」の展示風景。「現在と存在——反復1」(2012年)の一部分。Photo: Dejan Habicht

「ボスニア・アーカイヴ」の展示風景。「現在と存在——反復1」(2012年)の一部分。Photo: Dejan Habicht

へのヴィデオ・インタビュー）も展示されている。そして「アンケート（Vprašalnikov / Questionnaires）」は、リュブリャナ近代美術館のコレクションに名を連ねるアーティストたちの、スロヴェニア国内外の公的・私的コレクションにおける〔作品の〕存在についてのものである。最後に、「パンク・ミュージアム（Punk muzej / Punk Museum）」と称するものは、一九七七年から八七年にかけてのスロヴェニアにおけるパンク・シーンの記録展示であり、世間一般からの寄贈品も受け入れている。

ソフィア王妃芸術センターと同様に、メテルコヴァ現代美術館での教育普及プログラムもアートと政治的アクティヴィズムを結び付けようとしている。これは、二〇〇六年にリュブリャナ近代美術館において展開されたラディカル教育集団のガイドラインに沿うものである。[59]「営利主義やクリエイティヴ産業、そして増大する我々のローカルな空間のイデオロギー化に抗して」同様に「闘っている」[60]他の機関と連携も進んでいる。メテルコヴァ現代美術館にはおきまりのミュージアム・カフェはないが、書店やセミナー・ルームはある。このセミナー・ルームは建築やデザインの学生によって計画されたものだ。彼らは、このスペースのプログラムを作り、連続自主セミナーを組織し、運営している。アナーヒヴ（Anarhiv）というアクティヴィスト集団は、この部屋を政治理論についての議論の場として使っている。これらのローカルなつながりを補完するものとして、この美術館は国際的なパートナーシップを結ぶことに着手し、その結果、この機関の主張は国際的に認知されることができるようになっている。一例をあげるならば、バドヴィナクによって設立された協働ネットワークであるランテルナシオナル（L'internationale）は、ヨーロッパの七つの美術館や機関がそれぞれのコレクションを互いに利用可能なものとするもので、東／西ヨーロッパのアートの歴史についてのありふれた物語だけではなく、コレクション所有権の慣習的なパターンをも攪乱している。(61)

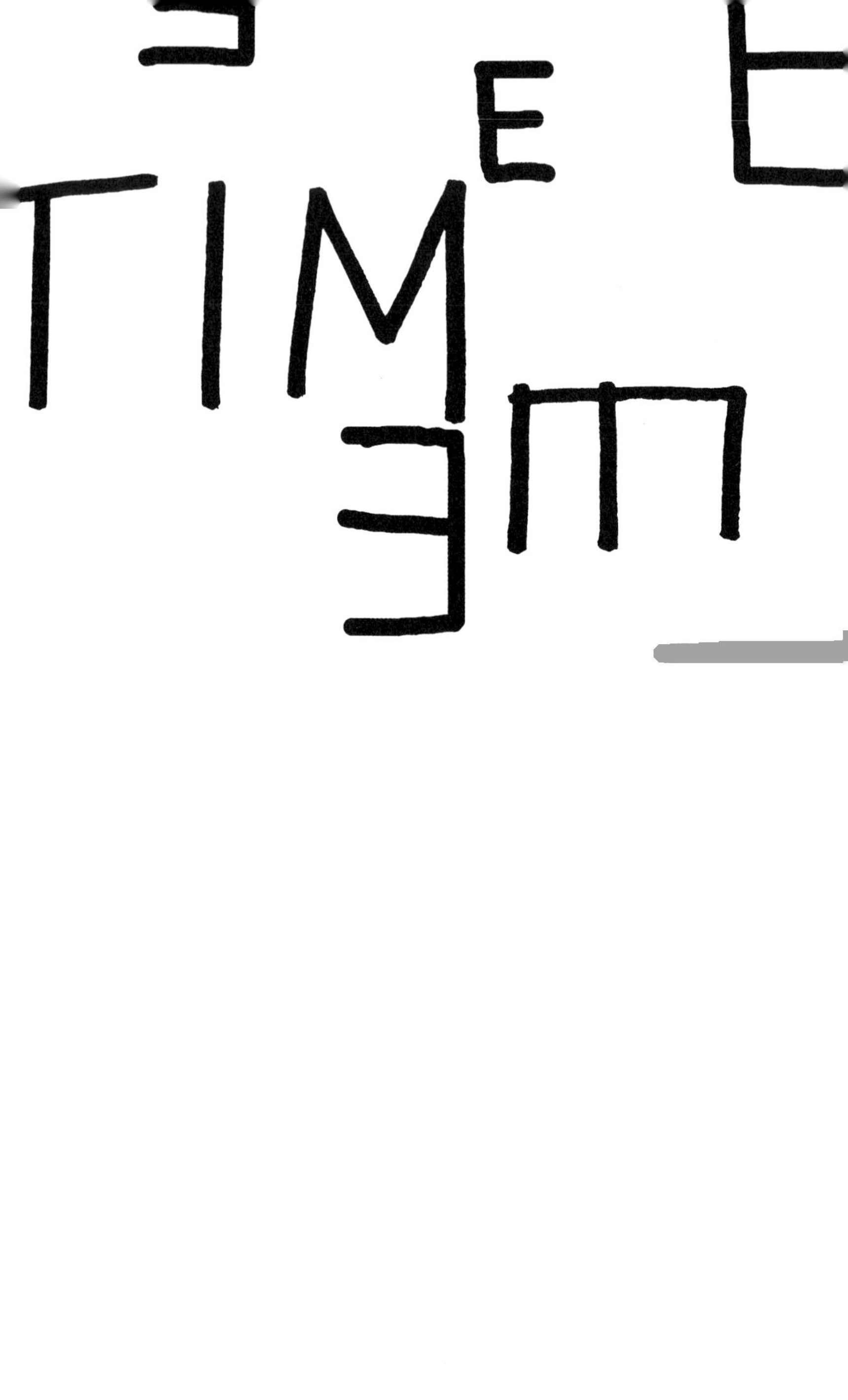
TIME

VII

弁証法的同時代性（コンテンポラニアティ）

これら三つの美術館についての私の評価は、無条件なものではなく、それぞれを比較してみると各館の不足なところが明らかになる。ファン・アッベミュージアムは、アイントホーフェンやその周辺地域の文化のなかに自らを位置づけることができないでいる。ソフィア王妃芸術センターの印刷物の展示は中身を読むことができず、また展示手法がいつも一貫しているとは限らない（ヒッチコックの《裏窓》［一九五四年］が抽象表現主義の絵画の横で落ち着かない様子で映写されていることもある）。一方、メテルコヴァ現代美術館におけるドキュメンテーションの賛美は、時に手に余ることがある（アクション、パフォーマンス、状況への介入行動の記録映像を上映するヴィデオ・モニターの数が多すぎて、どの鑑賞者も自身がキュレーターとなって、どの作品を見るべきか、あるいは無視するべきかという決定を下さなければならない）。しかし、全体的にみると、ファン・アッベミュージアム、ソフィア王妃芸術センター、メテルコヴァ現代美術館が行っている様々な提案——ここでは簡潔に概要を述べただけであるが——は、前に跳躍するためのトランポリンを提供してくれる。これらのどれもが、民営化〔私有化〕された現代美術館——それ

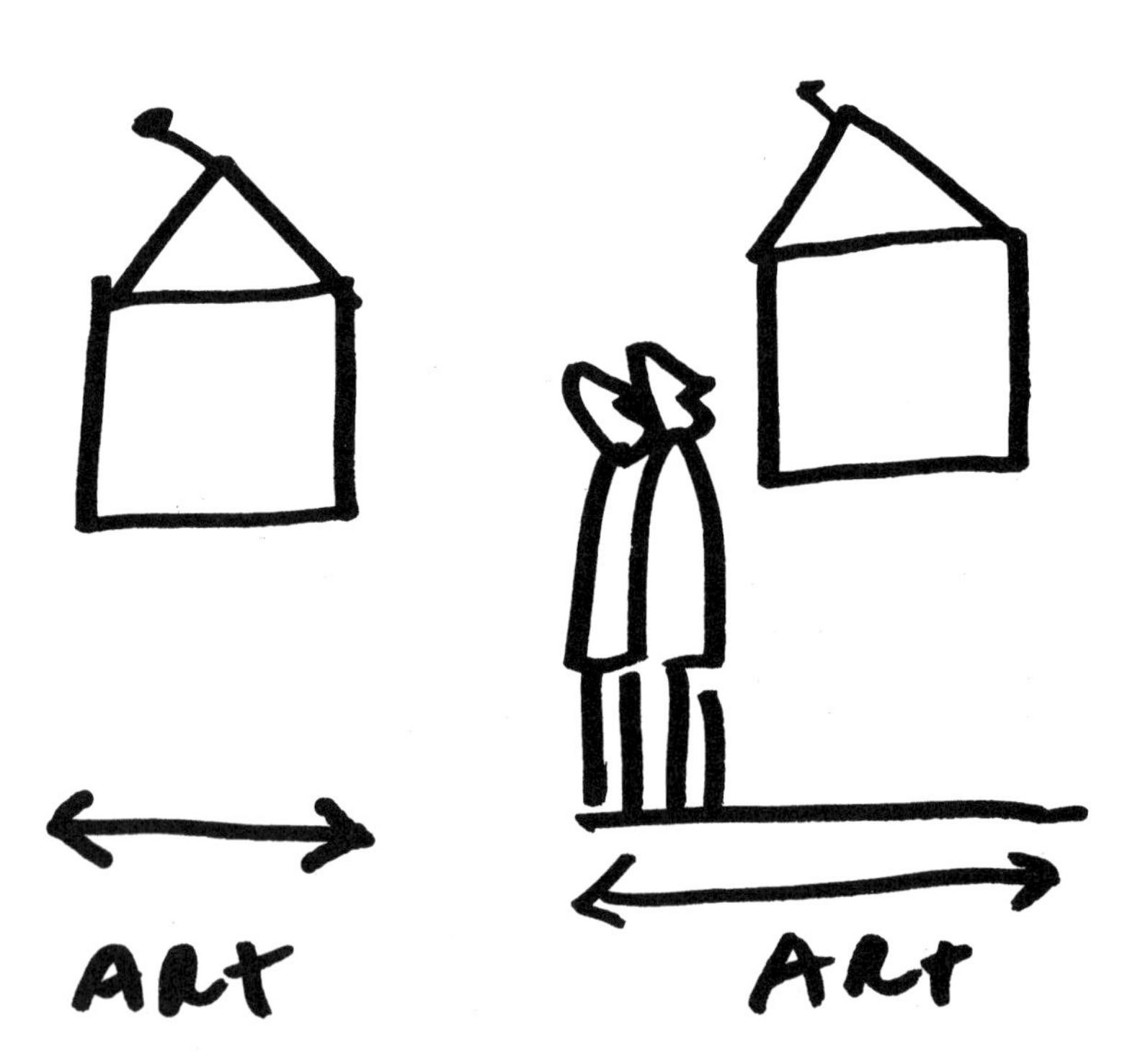
ARCHIVE OF
COMMONS
ART
ART

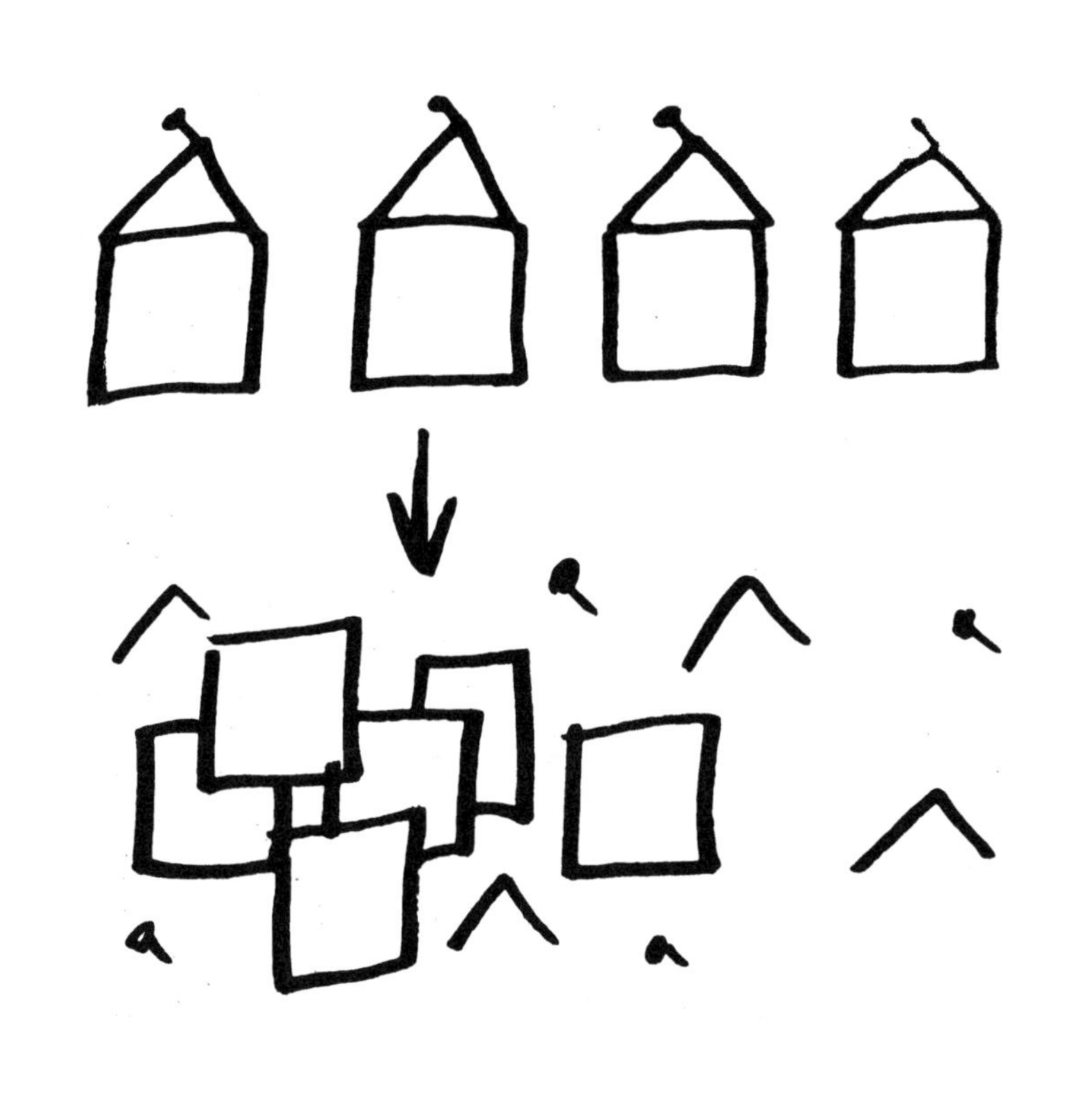

は、企業投資家や慈善家や大量の観衆を魅了するためにデザインされたブロックバスター型展覧会に依存することによって、創造的にも知的にもダメになってしまっている――とは別の選択肢を示唆しているのだ。ファン・アッベミュージアムは、歴史的意識の伝達手段としての展示のための展覧会装置を提示している。ソフィア王妃芸術センターは、教育普及と、コレクションのメディウム特有の地位を再考している。メテルコヴァ現代美術館は、未だ分節化されていない歴史的文脈を記述するためのひとつの方法として、重なり合う多数の時間性を配備している。

これらの美術館が創り出しているものは、歴史の地図の多‐時間的な書き直しであり、国民的枠組みや専門分野的枠組みの外部における芸術生産であって、同一の物語にすべてを引きずり込むグローバルな包括性の選択ではない[62]。これらの活動がもたらす結果を言い表すのに適切な用語は、星座的布置(*constellation*〔Konstellation〕)である。これは、さまざまな出来事を新しい仕方で結びつけるマルクス主義的プロジェクトを表現するために、ヴァルター・ベンヤミンによって使用された語だ。それは、すでに確立している分類法、専門分野、媒介、作法を攪乱する。このアプローチは美術館にとって示唆に富むものであると、私には思われる。なぜなら、歴史の政治化された書き換えとしての星座的布置は、根本的にキュレーション的であるからだ。ベンヤミンにとって、収集家は、清掃動物〔ハゲタカなど屍肉を食べる動物〕あるいは器用仕事人(ブリコルール)〔あり合わせの材料や道具で物を作る人〕である。彼らは、硬化した伝統が唱える呪文を破産させるためにコンテクストから引用し、燃え立つような過去を現在のなかに引き入れることによって過去を動員し、そして歴史の諸対象を再び歴史の行為主体（エージェント）にするために歴史を動的なものにし続ける。「収集家」を「キュレーター」と置き換えてみよう。そうすると、現代美術館の任務は歴史のダイナミックな再読解へと開かれてゆく。それは、支配階級の目からは無視され、抑圧され、見捨てられてきた歴史を最前面へと引き出す。文化は、オルタナティヴなものを可視化するための第一の手段となる。美術館のコレクションを宝の貯蔵庫と考えるのではなく、それは、共有物（コモンズ）のアーカイヴとして再想像しうるのである。(63)

もちろん、二〇一三年に記す論考の終わりにベンヤミンを引きあいに出すことなど、陳腐で新しさのかけらもない。しかし、彼の理論は、これまで視覚芸術に多大な影響をもたらしてきたにもかかわらず、それを見せる場である数々の機関や、それらの機関が物語る歴史にはほとんどインパクトをもたらしてはこなかったということは、印象的なことである。『歴史哲学テーゼ〔歴史の概念について〕』（一九四〇年）においてベンヤミンは、権力の名の下で語られる、勝者の勝利を記録する歴史と、現在の諸問題に名を与え、それらを同定する歴史とを区別している。その区別の手段は、この現在の歴史的契機の源泉をさがすために過去を駆け巡ることである。これがひるがえって、過去に対する我々の関心の決定的な動機となる。(64) 美術館は、反覇権的となることができるのだろうか？　本書で論じた三つの美術館はこの問いに対して、肯定的に応じているように思える。これらは今日のアートの実践を、視覚的経験のこれまで以上に広大な領域と接続させようと努力しているが、これは、ベンヤミンが『パサージュ論』において、テキスト、風刺漫画、印刷物、写真、芸術作品、工芸品、そして建築を、詩的な星座的布置の内に並置することで、パリという十九世紀の首都についての熟考を試みたことと同様なのである。歴史に対するこの現在‐志向のアプローチは、今日についての未来への視線をともなった理解を生み出し、また美術館を、活動的な歴史的行為主体として再想像する。この行為主体は、国民的な自尊心や覇権の名の下ではなく創造的な疑問や不同意の名の下で語るのだ。それが鑑賞者として連想する人たちは、個々の作品のアウラを感じるべく黙想にふけるよう促されることはもはやなく、〔展示を〕読解したり〔それに〕反駁したりするための意見や立場をもつ者としてその場にいるということに気づかされる。最後に、芸術作品を記録資料、複写物、再制作物と頻繁に並置することによって、それは鑑賞対象を脱フェティッシュ化する。コンテンポラリーというものは、時代区分や言説の問いというよりも、すべての歴史的な時代に潜在的に適用可能な方法（*method*）あるいは実践となるのである。

もちろん時代区分を放棄することは不可能であると論ずる者もいるだろう。歴史上の時代に明確に輪郭が描かれていることを把握することによってのみ、我々は、過去と未来を植民地化する拡張された今（いま）を崩壊させることができる、と。しかし、そのような歴史主義的アプローチは、以前の時代に遠くかけ離れたものという判決を下し、今日と関係があるものとそれを完全に分離し、我々の現今の現在主義（プレゼンティズム）の原因について探究する術（すべ）をなくしてしまうのだ。空間的距離の崩壊や、我々によって生きられる時間の経験の加速において、テクノロジーが果たす役割。核戦争にはじまりテロリズムや自然環境破壊にまでいたる、我々の未来へと向かっていく能力を先細りさせるグローバルな破滅の脅威。金融資本主義の投機的な短期投資――それは、物を生産するのではなく、通貨、債権、株や金融派生商品（デリヴァティヴ）といった抽象性を売り買いする。こうしたものすべてが、我々の空間的-時間的座標に疑いなく影響を及ぼしている。以前第一世界と呼ばれていた場所に生きる平均的な人間にとって、未来は、もはや進歩という希望に満ちた近代的展望（モダン・ヴィジョン）〔実際のところ、どうだったのであろうか〕とは一致しておらず、短期雇用契約、負担できないほど高額な保険料のかかる医療保険、一生涯かかる負債の返済（住宅ローン、学資ローン、クレジットカード）への不安という過酷な奈落なのだ。こうした現在主義に屈服するのではなく、過ぎ去ったものへと「虎の跳躍」†をすることのほうが、我々の状況に対する理解を活性化するためには、この上なく適切なのかもしれない。したがって、弁証法的同時代性（コンテンポラニアティ）とは、〔現在と〕関係する過去の予期せぬ出現によって未来を再起動させようとするアナクロニズム的な行動なのである。

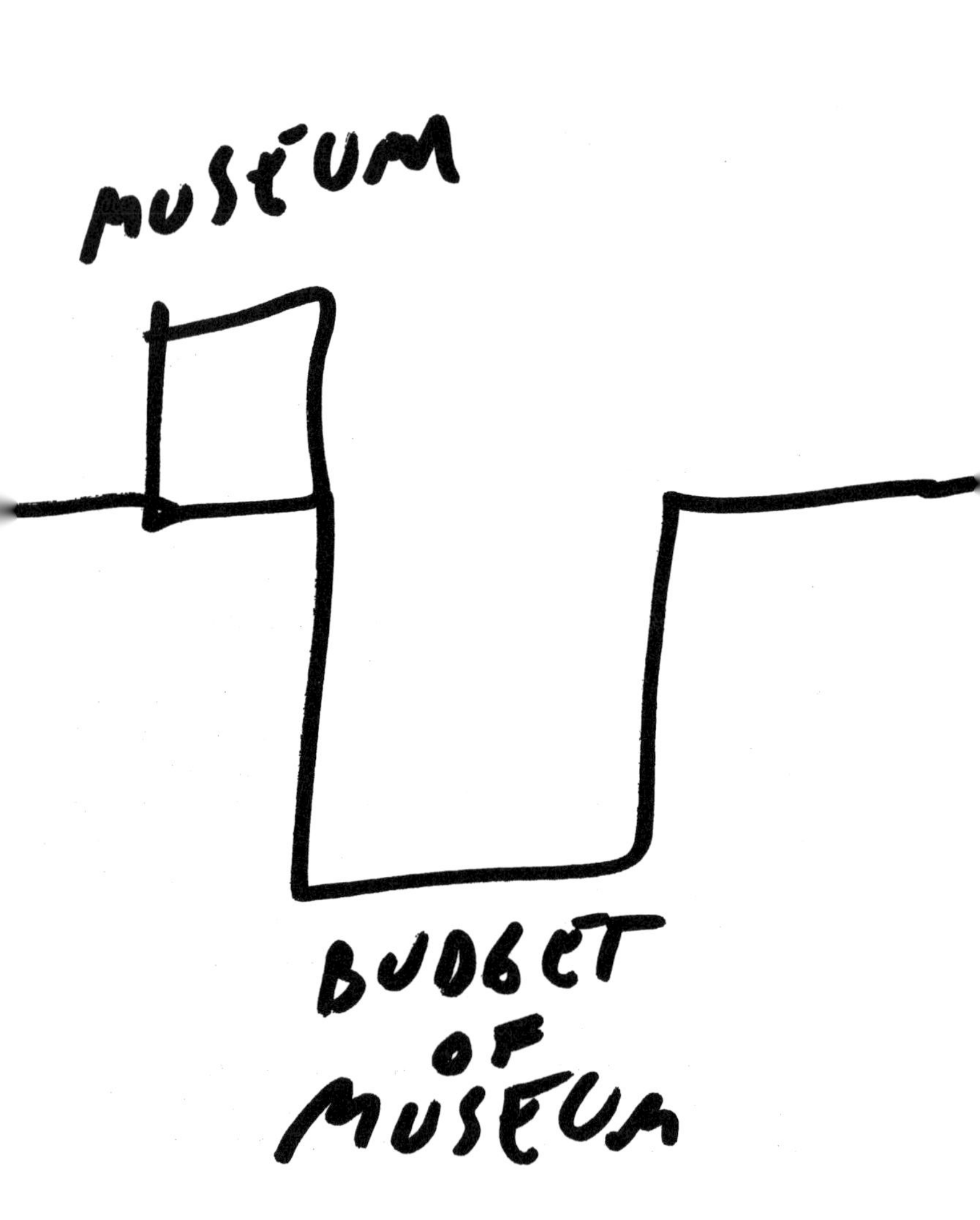
MUSEUM
BUDGET
OF
MUSEUM

†訳注：「虎の跳躍」は「歴史の概念について（歴史哲学テーゼ）」でベンヤミンが用いた喩。「ちょうどモードが過去の衣装を引用するように、フランス革命は古代ローマを引用した。モードは、アクチュアルなものに対して鋭い勘が働く。〔…〕モードは、過ぎ去ったものに襲いかかる虎の跳躍なのだ。ただしこの跳躍は、支配階級の統制下にある闘技場で行われる。歴史という広々とした空間のなかでのこの同じ跳躍こそが、マルクスの考えていたような弁証法的な跳躍である。マルクスは革命をそのようなものとして理解していた。」ヴァルター・ベンヤミン「歴史の概念について」『ベンヤミン・アンソロジー』山口裕之編訳、河出文庫、二〇一一年、三七三―三七四頁。

他の者たちは、美術館は保守的な機関であり、社会の変化に対処するために労力を集中させることのほうがより急務であると言うだろう。しかし、二者択一の問題ではない。美術館は、我々が文化において重要だと考えているものの集団的な表現であり、我々にとっての価値とは何かについて反省し議論する空間を提供しているのである。反省がなければ、前へ進むために熟慮された運動はありえない。[65]私が紹介した三つの美術館が、実業家、王妃、そして軍事施設の名をとって命名されていることは意味ありげなことではある――しかし、これらすべては権力や搾取の残虐性を非難するために、現在を診断することを通して過去を物語る一方で、未来に目を向け続けているのだ。同様に意味深長であるのは、二〇一一年以降、これらの三つの美術館の活動はすべて、緊縮財政というムード音楽を演奏するネオリベラルな政府や市議会からの圧力にさらされているということである。これらの館の予算が激減させられている理由は、文化に触れることが教育や福祉——これらも一貫して予算削減されているが——のように基本的権利としては認識されておらず、民間セクターに請け負わせてもよい贅沢品だと理解されているからである。そして、この民間セクターはみな、いそいそと喜んでそこに入りこむ。なぜなら、美術館は、経済的な利益発生装置であるのに加え、社会的地位や自分のプライヴェート・コレクションの価値を高めることを可能にしてくれるからだ。この結果、二つの価値のシステムが衝突することになる——かたや文化的反省と歴史的反省の空間としての美術館、かたや慈善家のナルシシズムの貯蔵庫としての美術館。こうした袋小路に直面するなかで、公的な美術館には、九十九パーセント〔の富をもたざる人々〕の関心事(インタレスト)／利害を適切に表象する能力がほとんどないように思えるかもしれない。だからこそ次のように考えることはきわめて重要である——オルタナティヴは必ず実在する、そしてそれらは、現代美術館にとっての活気溢れる新たな使命を考案してくれるレーダーにしたがって作動している、と。[66]

新自由主義による文化の経済価値への従属は、美術館だけでなく、より広く人文科学全般をも侮辱するものである。それら自身の評価のシステムはますます、数量的な尺度〔助成金収入、経済効果、影響力の尺度としての〔論文や所蔵作品の〕引用回数〕によって自身を正当化しなくてはならなくなってきている。[67] 我々は、オルタナティヴな評価のシステムを案出できていないと、絶望的なほど感じている。テクノクラシー――ポスト構造主義は、故意にではないがこれを幇助してしまった――は、文化や人文科学の意義をかつて表現していた語彙のほとんどを破壊してしまっている。このことは、その意義を非経済的な言葉遣いで説得力をもって定義するという課題をより喫緊のものにしている。しかし、我々は、文化と人文科学が、それ自身の権利において重要であり稀有なものであると理解されるということに賛意を示すことができるし、またそうしなくてはならない。それらは、収支報告書や使用価値の言語の外部に存する。そしてそれらの想像力が行う活動は、それらを守護するために我々が考案した機関（インスティテューション）のなかに安置されている。[68] 本書で略述したキュレーションが目標としているものの数々は、道具化（instrumentalization）の新たな形式であるように見えるかもしれないが、それらは実際には、美術館の自律性を守る手段であるのだ。なぜなら、キュレーションの目標とは、芸術作品に既に内在しているものという基礎の上に、個人の名声を高めるためにではなく、問いを投げかけ、意識を呼び覚ますために構築されるからである。

　文化の価値を分節化することはいま、美術館と学問の世界の両方において急務となっている。なぜなら、財政的要請という津波が、公共圏における複雑なもの、創造的なもの、傷つきやすいもの、知的なもの、冒険的なもの、批判的なものといったすべてを巻き込む洪水を起こす恐れがあるからだ。意味深長なことに、この闘いがいま起こっているのは、**時間性**の問いの周囲でなのだ。真正な文化が機能するのは、金融資本や一年周期の決算という加速された抽象性（実証主義的なデータに基づき、論証可能な効果を必要とするもの）よりも遅い時間の枠組みのなかにおいてである。しかし、この共時性の欠如こそがまさに、価値のオルタナティヴな世界を指し示すのである。この世界において美術館は――さらには文化、教育、民主主義は――、スプレッドシートの陳腐さや世論調査の統計的まやかしに服従せず、我々が、豊かで多様な歴史へアクセスすることや、現在に疑問を投げかけることや、そして異なる未来を実現することをできるようにする。この未来にはまだ名前がない。しかし我々はその縁に立っているのだ。この四十年が、「後（ポスト）」という語によって印づけられてきた（戦後、ポスト植民地主義、ポストモダニズム、ポスト共産主義）のだとするならば、ついに今日、我々は期待（anticipation）の時代にいるように思われる。その時代を我々が集団的に感じ取り理解するために有効でありうるものが、現代美術館なのである。

MUSEUM

POWER

原注

(1) Rosalind Krauss, "The Cultural Logic of the Late Capitalist Museum," in *October*, no. 54, Fall 1990, p. 14. クラウスは、続いて美術館のコレクション売却について記された *Art in America* の記事について論じ、経営者的思考や美術市場からの圧力が美術館活動に与える影響について記している。

(2) ここで私が念頭に置いているのは、Susan Buck-Morss, *Hegel, Haiti and Universal History*, University of Pittsburgh Press, Pittsburgh, 2009〔スーザン・バック゠モース『ヘーゲルとハイチ――普遍史の可能性に向けて』岩崎稔・高橋明史訳、法政大学出版局、二〇一七年〕である。バック゠モースが論ずるところによれば、普遍的な歴史は、〔個別特定の〕出来事を普遍的関心の問題として再記述するために、それらの出来事を脱国民国家化する(例えばホロコーストは、ドイツ史やユダヤ史に属するのではなく、全人類の惨禍であるとしている)。普遍性をひとつのカテゴリーとして復旧する点において、バック゠モースは、スラヴォイ・ジジェクやアラン・バディウといった、ポスト構造主義のメタナラティヴ批判によって解体された普遍性の回復を試みる近年の思想家たちに加わっている。バック゠モースが狙っているのは、普遍性を包括性として理解する(すなわち、すべてを同一の物語に引きずりこむ)ことではなく、歴史への方法論的な介入として用いることである。

(3) アーティストのヒト・シュタイエルは以下の通り言及している。「現代美術はブランドなきブランド名であり、極端な化粧を施す必要のある場所向けに新しいクリエイティヴなことをしなければならないと押し売りするような即席の美容整形手術をするために、ほとんど何の上にも塗りたくられる準備ができている。〔……〕もし現代美術が答えであるのだとしたら、それを導き出すための問いはこうだ――どうしたら資本主義はもっと美しく見せられるだろうか?-」Hito Steyerl, "Politics of Art: Contemporary Art and the Transition to Post-Democracy," in *e-flux journal* #21, December 2010.
以下で閲覧可能：
http://www.e-flux.com/journal/politics-of-art-contemporary-art-and-the-transition-to-post-democracy/.

(4) リチャード・マイヤーが明らかにしているように、実際、一九三〇年代のＭｏＭＡのプログラムはかなり多彩なものであり、そこには先史の洞窟壁画、ペルシャのフレスコ画、セザンヌの複製画といった展覧会が含まれていた。合衆国のアーティストたちもこの美術館で展示されていたが、ラインハルトやアメリカ抽象主義のアーティスト団体は、そういったアーティストたちはあまりにも年を取りすぎていて、因習的だし、またあまりにも大衆的で真の意味でモダンではないとして抗議していた。Richard Meyer, *What Was Contemporary Art?*, MIT Press, Cambridge/MA, 2013, chapter 4.

(5) 一九二九年一〇月のアルフレッド・バー・Jrからポール・サックスへの手紙。Meyer の前掲書 p.366 における引用。

(6) ここでの例外は、一九五四年に設立されたザグレブ市立現代美術ギャラリーである。一九九八年に現代美術館と名称を変えている。

(7)「このインスティテュートによるキュレーションと商業の混合は、よかれあしかれ、アメリカにおける現代美術の論理をますます映し出すものとなっている。」Meyer 前掲書 p. 251。一九五〇年、ニューヨーク近代美術館、ホイットニー美術館、インスティテュート・オブ・コンテンポラリー・アーツ・ボストンは、モダンの伝統はいまだ活発であることを宣言する共同マニフェストを発表した。これは、一九三九年にインスティテュート・オブ・モダン・アート・ボストンがモダニズムの死滅を主張したことからの公的な反転であった。J. Pedro Lorente, *Cathedrals of Urban Modernity*, Ashgate Publishing, Aldershot, 1998, p. 250 を参照のこと。

（8）議論を呼んでいるサーチの収集戦略は、若手アーティストの作品を卸値で買い、市場価値が上がったところですべてを転売する、というものである。例えば、Arifa Ajbar, “Charles Saatchi: A Blessing or a Curse for Young Artists?”, in *The Independent*, 6/13/2008 を参照のこと。「サーチのかつての被保護者で今では最も痛烈な批判者となったのは、イタリアの新表現主義の画家サンドロ・キアである。彼の作品は一九八〇年代に購入され、売却されている。サーチが所有していたすべてのキア作品のこの売却が事実上、このイタリア作家の評価を落としたという憶測もあった。」

（9）Brian Goldfarb et al., “Fleeting Possessions,” in: *Temporarily Possessed: The Semi-Permanent Collection*, The New Museum of Contemporary Art, New York, 1995, pp. 9ff を参照のこと。

（10）http://www.newmuseum.org/files/nm_press_faq.pdf を参照のこと。この美術館の理事たちによって購入された近年の作品として、ウゴ・ロンディノーネによる《Hell, Yes!》（二〇〇一年）があり、二〇〇七年から二〇一〇年の間、建物のファサードに設置されていた。美術館がバワリー地区に移転した二〇〇七年以降、ニュー・ミュージアムのコレクションはどれも一度も展覧会に出品されていない。ニュー・ミュージアムの広報担当のガブリエル・アインソーンからの二〇一三年三月二九日付電子メイルの情報による。

（11）例えば、“Questionnaire on ‘The Contemporary’” in: *October*, no. 130, Fall 2009, p.55 の Alex Alberro によるこのアンケートへの回答、*Global Contemporary: Art Worlds After 1989*, exhibition at ZKM | Karlsruhe, 2011; Alexander Dumbadze and Suzanne Hudson (eds), *Contemporary Art: 1989 to the Present*, Wiley-Blackwell, Oxford, 2013 を参照のこと。

（12）Okwui Enwezor and Chika Okeke-Agulu, *Contemporary Art in Africa Since 1980*, Damiani Bologna, 2009 も参照のこと。「コンテンポラリー・アフリカン・アートは、伝統的芸術（おそらくは植民地化以前からの）と植民地主義の両方の終結時にはじまった。ということは、現在におけるその存在条件は、ポストコロニアルであると言える」(p. 12)。

(13) Peter Osborne, "The Fiction of the Contemporary," in: *Anywhere or Not At All: Philosophy of Contemporary Art*, Verso, London and New York, 2013, pp. 15-35.

(14) Boris Groys, "Comrades of Time," in: *Going Public*, Sternberg Press, Berlin, 2010, pp. 84 – 101.

(15) 同書、p. 90、次の引用はその p. 94。

(16) Giorgio Agamben, "What Is the Contemporary?", in: *What is an Apparatus? and Other Essays*, Stanford University Press, Stanford, 2009, p. 41〔ジョルジョ・アガンベン「同時代人とは何か?」『裸性』岡田温司・栗原俊秀訳、平凡社、二〇一二年、二一―二三頁〕（強調は原文どおり）。

(17) 同書、p. 46〔二九頁〕。

(18) 今の世界は、一九八〇年代末に生まれたものではあるが、9・11後の共通意識のなかにおいて決定的に存在している、と彼は論じている。Terry Smith, *What Is Contemporary Art?*, Chicago Press, Chicago, 2009.

(19)「歴史性（historicity）」とはフランスの歴史学者フランソワ・アルトーグによって、ひとつの時代における支配的な時間的秩序——社会がどのように自らの過去を概念化し、取り扱うか——を示すために用いられた言葉である。François Hartog, *Régimes d'historicité*, Editions du Seuil, Paris, 2003〔フランソワ・アルトーグ『「歴史」の体制——現在主義と時間経験』伊藤綾訳、藤原書店、二〇〇八年〕参照のこと。「分裂症的（schizophrenic）」とは、フレドリック・ジェイムソンによって、現在についての、増大してはいるが非連結的な経験に対するポストモダニズムの選好を特徴付けるものとして用いられた言葉である。Fredric Jameson, "Postmodernism and Consumer Society," in Hal Foster (ed.), *The Anti-Aesthetic: Essays on Postmodern Culture*, The New Press, New York, 2002, pp. 13-29〔フレドリック・ジェームソン「ポストモダニズムと消費社会」『反美学——ポストモダンの諸相』ハル・フォスター編、室井尚・吉岡洋訳、勁草書房、一九八七年、一九九一—二三〇頁〕を参照のこと。

(20)東ヨーロッパでは、公的言説における共産主義の過去の否定が、数々のヴィデオ作品の生み出してきた。それらは、この変転の心理的衝撃について探求するために、過去のフィルム・ストックや技術を治療的に体内化している（例えば、アンリ・サラによる《Intervista》や、デイマンタス・ナルキャビチュウスによる《彼の話》〔共に一九九八年制作〕である）。中東では、一連の力強い作品が、レバノン内戦や、パレスチナ・イスラエル問題の歴史における出来事に言及している（アトラス・グループ／ワリッド・ラード、あるいはエミリー・ジャーシルによる広範囲にわたるアーカイヴ的作品を考えるとよい）。対照的に、西ヨーロッパや北米では、アーティストは、過去それ自体というより、過去が保持している、未来のためのオルタナティヴを切り開く可能性への興味から、精神療法、植民地主義、フェミニズム、市民権の歴史において見落とされてきた諸契機へと目を向けている（スタン・ダグラス、シャロン・ヘイズ、ハルーン・ファロッキ）。

(21)Christine Ross, *The Past is the Present; It's the Future Too: The Temporal Turn in Contemporary Art*, Continuum, London, 2013, p. 41.

(22)Dieter Roelstraete, "The Way of the Shovel: On the Archaeological Imaginary in Art," in: *e-flux journal* #4, March 2009.
以下で閲覧可能：
https://www.e-flux.com/journal/04/68582/the-way-of-the-shovel-on-the-archeological-imaginary-in-art/.
強調は原文どおり。

(23)Georges Didi-Huberman, "History and Image: Has the 'Epistemological Transformation' Taken Place?" in: Michael Zimmermann (ed.), *The Art Hisotrian: National Traditions and Institutional Practices*, Clark Studies in the Visual Arts, Williamstown, 2003, p. 131〔同じ文が以下の日本語訳書にある：ジョルジュ・

ディディ＝ユベルマン『時間の前で――美術史とイメージのアナクロニズム』小野康男・三小田祥久訳、法政大学出版局、二〇一二年、三八頁〕.

(24) Georges Didi-Huberman, "Before the Image, Before Time: The Sovereignty of Anachronism," in Claire Farago and Robert Zwijnenberg (ed.), *Compelling Visuality*, University of Minnesota Press, Minnesota, 2003, p. 41〔同じ文が以下の日本語訳書にある：ディディ＝ユベルマン前掲書、一六頁〕. また、Didi-Huberman, "The Surviving Image: Aby Warburg and Tylorian Anthropology," in: *Oxford Art Journal*, vol. 25, no.1, 2002, pp. 59-70 も参照のこと。

(25) Alexander Nagel and Christopher Wood, *Anachronic Renaissance*, Zone Books, New York, 2010, p. 14.

(26) 同書、p. 34.

(27) 私の立場はトーマス・クローとも異なる。彼にとって、視覚芸術作品が、文学、音楽、あるいはダンスと比して、独自の時間性をもつのは、視覚芸術の対象が「歴史の様々な主体自身〔の手〕によって作られ、取り扱われる実際の物」であるからなのだ。（Thomas Crow, "The Practice of Art History in America," in *Daedalus*, vol. 135, no. 2, Spring 2006, p. 71.）現代美術における複製技術の利用は、彼の主張の有効性を弱めている。本書六〇―六一頁でのソフィア王妃芸術センターにおけるドキュメンテーションについての議論を参照のこと。

(28) 例えば、ニュー・ミュージアムでは、歴史は、精選されたレトロな関心事のごとく、流行の目録のなかにのみ姿を現す。グループ展のテーマが歴史研究に絶好の機会を提供するような場合でさえ、論証なく提示される。例えば、一九六〇年代以降のロシア及び東欧のアートを概観した「オスタルジア」展（二〇一一年）では、感覚を基準として作品が並置され、一九八九年から一九九一年にかけてのイデオロギー的な変遷への言及は全く為されなかった。この展覧会は、政治史という枠組みの代わりに、良い趣味という枠組みを採用することで、美術市場が支配権を握っていることを事実上認めていた（適切なことに、この展覧会はロシアのガス産業の寡頭支配者であるレオニード・ミケルソンによって資金援助されていた。彼のアート財団は、VICTORIA- the Art of being Contemporary〔原文ママ〕という名称である）。さらに言えば、この展覧会は、「ostalgia〔「東ドイツ時代への郷愁」を意味するドイツ語の新語「Ostalgie」（Ost〔東〕とNostalgie〔郷愁〕の合成）を英語綴り風（≒nostalgia）にした語〕」という典礼の下にすべての作品を集めていたが、ほとんどの展示物は、一九八九年直前の日付から始まる制作年のものであった。

(29) 一九六〇年代以降の作品を専門とする西洋の美術館では、テーマ別展示が標準となってきている。その背景には、この期間のアートは共通する文脈を十分にもっているので、年代をシャッフルしても問題とならないはずだ、という想定がある。テーマ展示が失敗とみなされる場合には、世代的な並べ方ではなく、地理的な並べ方に起因する傾向にある――とりわけても、西洋のアートと非西洋のアートとの対話の創出において、後者が後進的で派生的（モダンであるならば）、あるいは単純に非モダン（土着のものであるならば）として位置付けられる場合には。

(30) しかし、このような相対主義が価値判断から自由ではないことは明らかであり、それは企画展に内在するヒエラルキーによって裏切られている。例えばテート・モダンの場合、（収入を生み出す）個展のほとんどが西洋人男性アーティストによるものであり続けている一方で、女性や非西洋圏のアーティストは、（チケット不要の）タービン・ホールや企画室での展示に限られる傾向がある。T. J. Demos, "The Tate Effect," in: Hans Belting, Andrea Buddensieg, and Peter Weibel (eds.), *Where is Art Contemporary? The Global Art World*, vol. 2, ZKM | Center for Art and Media, Karlsruhe, 2009, pp. 78-87を参照のこと。

(31) 特筆すべきひとつの例外は、オクウィ・エンヴェゾーによるテート・モダンの新植民地主義的な視点への批判である。Okwui Enwezor, "The Post-Colonial Constellation," in: Terry Smith, Okwui Enwezor and Nancy Condee (eds.), *Antinomies of Art and Culture: Modernity, Postmodernity, Contemporaneity*,

Duke University Press: Durham/NC, 2008, pp. 207-209を参照のこと。

(32)例えば、二〇一二年のテート・モダンでのコレクション展示は、次の四つの軸をめぐって構成されていた。「詩と夢(Poetry and Dream)」(シュルレアリスムから手がかりを得たものであったが、ジョン・ハートフィールドのフォトモンタージュ、サントゥ・モフォケングによる一九九七年のスライド・ショー《Black Photo Album: Look at Me》、ヨーゼフ・ボイスの彫刻も含まれている)、「エネルギーとプロセス(Energy and Process)」(アルテ・ポーヴェラを中心としていたが、コレクターのジャネット・ウォルフソン・デ・ボットンからの寄贈作品の展示室も含まれている)、「変動期(States of Flux)」(キュビスム、未来派、ヴォーティシズムが中心)、「構造と明快さ(Structure and Clarity)」(両大戦間の抽象が中心であるが、キュビスムやコリー・アーケンジェルにも及んでいる)。

(33)これらの年表の下には、鮮やかな赤のマルチメディア・ブースがあるが、このうっとうしい装置は企業からの資金提供によって派手に飾られたもので、支配的な新自由主義的規範に美術館を縛りつけている。

(34)別の展示シリーズ「生きているアーカイヴ(Living Archive)」では、鑑賞者にこの美術館自身の歴史の諸要素を提示したが、これは一方で、この美術館自身の姿を鏡に映すことで、それがかつてどんな姿だったか、そしてもう一度どんな姿になり得るのかを思い起こさせるものであった(この美術館のウェブサイトには、このシリーズは「未来についてのアイデアの宝庫」であると記されている)。この展示シリーズは、美術館の歴史において重要であった展覧会(例えば、「ストリート[《*The Street*〔*De Straat. Vorm Van Samenleven*〕》]」展、一九七二年)を再び取り上げたり、アイントホーフェンにあったヘット・アポロハウス(一九八〇―一九九七)という実験的スペースの保管記録情報を展示したりした。また美術館の記録書類のファイル(「ミュージアム・インデックス――進行中の研究[Museum Index – Research in Progress]」)の複写も展示した。その研究の結果としてわかったのが、第二次世界大戦前、戦中にナチスによって略奪されたコレクション作品の来歴である。

(35)とはいえ、この方針にはあてはまらないいくつかの例外も実施されている。例えば、ファン・アッベミュージアムにとってある種のマニフェストであった二〇〇七年の企画展「抵抗のかたち：社会変化へ向かうアーティストと欲望、一八七一年から現在まで(Vormen van Verzet: Kunstenaars en het verlangen naar maatschappelijke veranderingen van 1871 tot nu / Forms of Resistance: Artists and the Desire for Social Change from 1871 to the Present)」がそれである。

(36)このシリーズにおける代表的な実験は、「一対一：フランク・ステラ《タキシード・ジャンクション》(Een op Een: Frank Stella, *Tuxedo Junction* / One on One: Frank Stella, *Tuxedo Junction*)」(プラグ・イン32)である。ここではステラによる一九六三年の絵画がただ一点だけ展示室に展示された。そこに一緒に置かれたものは、椅子一脚と小さいテーブルがひとつ、テーブルの上にはこの作品に関する読み物(出版物、書簡、展示歴、作品調書、この絵画を以前に展示したときの配置図)が置かれている。さらにテーブルには、美術史家シェップ・ステイナーによるステラ作品についての解説を聞くことができるテープレコーダーも置かれていた。「収蔵庫を見る(Kijkdepot)」(プラグ・イン18)は、なぜ観たいかという理由を提出することを条件に、鑑賞者がコレクションから好きな作品を選べるという機会を鑑賞者に与えた。選ばれた作品は収蔵庫から取り出され、展示された。その結果、地元住民が見たいとおもうものは何かという意識を美術館はもつことができ、それは「集団的な偶然のキュレーション」(Christiane Berndes, in: *Plug In to Play*, 2010, p. 78)につながった。プラグ・イン28は、オランダの二人組アーティスト、ビック・ファン・デル・ポルによってキュレーションされたものであるが、ヨーゼフ・ボイスとブルース・ナウマンの作品がルームパニックス・アンリミティッドによって一九七五年から二〇〇六年までに出版された一四〇冊の本とともに展示されていた。この出版社は、「自分自身の国のはじめかた」、「自家製銃と自家製兵器」、「あなたの成人／少年犯罪記録の消し方」といった物議をかもすハウツー本を出版していた。

(37)ファン・アッベミュージアムの宣伝文。
以下で閲覧可能 :https://vanabbemuseum.nl/en/programme/programme/play-van-abbe-part-1/.

(38)ドクメンタ7（一九八二年）のディレクション後、フクスがキュレーションした「美術館コレクションの夏の展示（Zomeropstelling van de eigen collective [Summer Display of the Museum's Collection]）」展でも、作品の自律性、展示スペースの中立性と鑑賞者の視覚体験を尊ぶ彼らしさが維持されていた。

(39)https://vanabbemuseum.nl/en/programme/programme/picasso-in-palestine/ を参照のこと。ハーリド・ホーラーニーとラシード・マシュハラーウィーによるヴィデオ・ドキュメンテーションは、二〇一二年のドクメンタ13において展示された。

(40)見るということに関わるそれぞれ異なる態度は、この美術館の地図によっても推奨されていた。この地図は、空想的な地理学（観光旅行者のための）であったり、あるいは鑑賞者が記入したのち次の鑑賞者へと手渡す空白のノート（遊歩者）であったりした。「プレイ・ファン・アッベ」の全体にわたって、制度的（インスティテューショナル）な透明性が前景化されていた。コレクションにおける男性アーティスト、女性アーティスト、非西洋圏のアーティストの数を示した図が（他の統計値と共に）展示室の壁面に掲示され、さらにチャールズ・エシュは、展示に関する来場者からの質問に回答するヴィデオを作った（今もなお、ユーチューブで見ることができる〔二〇二〇年三月現在〕）。

(41)Jesús Carillo and Rosario Peiró, "Is the War Over? Art in a Divided World (1945—1968)," p. 15を参照のこと。https://www.museoreinasofia.es/sites/default/files/publicaciones/textos-en-descarga/introduccion.pdf にダウンロード可能なPDFがある。

(42)ボルハ＝ビリェルは、「我々が、デカルトの我思う（ego cogito）をエルナン・コルテスの我征服する（ego conquiro）に置き換えたら、カントの純粋理性の原理をマルクスが本源的蓄積の原理と呼んだものと置き換えたら、どうなるだろうか」と記している。Manuel Borja-Villel, "Museos del Sur," in: *El País*, 12/20/2008. 英語での引用は Ricardo Arcos-Palma in "The Potosí Principle: How can we Sing the Song of Our Lord in a Foreign Land?", in *Art Nexus*, issue 80 March–May 2011 より。

以下で閲覧可能：http://certification.artnexus.net/Notice_View.aspx?DocumentID=22805〔二〇二〇年三月現在リンク切れ〕。この展覧会はベルリンに巡回し、その後ボリビアのラパスにも巡回した。

(43) その二年後、「《アトラス》――いかにして世界を背負うか（Atlas. ¿Cómo llevar el mundo a cuestas? / Atlas. How to Carry the World on One's Back?)」展（二〇一〇―二〇一一年）では、アビ・ヴァールブルクのモンタージュ手法が再検討され、二十世紀芸術の対抗読解が提示された。展覧会キュレーターのジョルジュ・ディディ＝ユベルマンは、「「アトラス」展を、美しい作品を集めたものとしては考えておらず、むしろ、アーティストがどのように仕事をするのか――名作かどうかという問題を超えて――を理解し、その仕事を、正統な方法という視点からだけでなく、我々の世界についての標準外の横断的な知識からもどのように考えることができるのかを理解するものであると考えている」と記している。

以下で閲覧可能：

http://www.museoreinasofia.es/exposiciones/2011/atlas_en.html〔二〇二〇年三月現在リンク切れ〕。〔日本語でのアトラス展についての批評は、橋本一径「《アトラス》――いかにして世界を背負うか」『photographer's gallery press no.10　特集ジョルジュ・ディディ＝ユベルマン』photographer's gallery、二〇一一年、六一―六二頁、において記されている。〕

(44) これらの図式は、ジャック・ラカンのセミネール第一七巻『精神分析の裏側（L'envers de psychanalyse)』において、四つの項の配置の並べ替えの利用によって練り上げられた「四つのディスクール〔言説〕」（主人のディスクール、大学のディスクール、ヒステリー者のディスクール、分析者のディスクール）を、大まかに基にしている。これらの図式は、固定された項（主体、客体、歴史など）に頼るものではなく、それぞれのディスクールとその動因との間の関係性を説明する動的モデルである。

(45)スラヴォイ・ジジェクが論じているとおり、今日の寛容でリベラルな多文化主義は、中和化のひとつのかたちである。彼は「〈他者性〉を剝奪された〈他者〉の経験、すなわちカフェイン除去された〈他者〉である」と述べている。Slavoj Žižek, "Liberal multiculturalism masks an old barbarism with a human face," in: *The Gardian*, 10/3/2010. 以下も参照のこと。Žižek, "Multiculturalism, or the Cultural Logic of Late Capitalism," in: *New Left Review*, September–October 1997.

(46)Jacques Rancière, *The Ignorant Schoolmaster*, Stanford University Press, Stanford, 1991〔ジャック・ランシエール『無知な教師』梶田裕・堀容子訳、法政大学出版局、二〇一一年〕。数多く引用される本書においてランシエールは、風変わりなフランス人教師であったジョセフ・ジャコトが原文対訳の本を用いて、フラマン語しか理解しない学生たちをいかに指導したかについて記している。Ángela Molina, "Entrevista con Manuel Borja-Villel/Debemos desarrollar en el museo una pedagogía de la emancipación," in: *El País*, 11/19/2005 を参照のこと。

以下で閲覧可能：

http://elpais.com/diario/2005/11/19babelia/1132358767_850215.html〔二〇一〇年三月現在リンク切れ〕。

(47)"Declaracion Instituyente Red Conceptualismos del Sur" を参照のこと。

以下で閲覧可能：

http://conceptual.inexistente.net/index.php?option=com_content&view=article&id=56:declaracion〔二〇一〇年三月現在リンク切れ。"Founding Declaration" と称する宣言を含むこの団体の英語サイトは以下のとおり：https://redcsur.net/en/〕。

(48)ボリス・グロイスは、ドキュメンテーションは今日の現代美術のもっとも流行している形式のひとつであるが、それはアートの表象（レプリゼンテーション）ではなく（なぜならば、それはどこか別の場所で起こっていることであるから）、芸術に対する指示（*reference*）でしかないと論じている。

Boris Groys, "Art in the Age of Biopolitics: From Artwork to Art Documentation," in Groys, *Art Power*, MIT Press, Cambridge/MA, 2008, pp. 52-65〔ボリス・グロイス『アート・パワー』石田圭子・齋木克裕・三本松倫代・角尾宣信訳、現代企画室、二〇一七年、九一―一一〇頁〕.

(49) このポリシーは、バルセロナ現代美術館においてボルハ＝ビリェルが尽力したことの延長にある。その成果が、二〇〇七年の学習ドキュメンテーション・センター（Centre d'Estudis i Documentació）の設立である。このセンターは「次のような確信から出発している。それは、前世紀のはじめ以来、とくに一九五〇年代以降、芸術的生産活動は作品それ自体だけを通じては理解できなくなっていて、記録（ドキュメント）が、アートのような複雑な文化的生産活動を構成する言語のひとつの要素となっている、というものだ。このアーカイヴはまた、この固有の文脈においてもたらされているドキュメンテーションとしての所有財産への注目の欠如を補うことに貢献することも切望している」。

以下で閲覧可能：

http://www.macba.cat/en/the-archive.

(50) このようなタイプの再分類には先行例がある。ジョン・カーマンは、英国における考古学遺産の地位の変遷を論証した。それは、十九世紀における公共福祉や公教育に対する自由党による関与にはじまり、二十世紀中頃における「よき国々と安定的な国際秩序」という言説を経由して、現今の「資源」（金銭的価値と効果的利用）としての遺産という経営者的言説に至る。

John Carman, "Good citizens and sound economics: The trajectory of archaeology in Britain from 'heritage' to 'resource'," in: Clay Mathers, et al. (eds.), *Heritage of Value, Archaeology of Renown: Reshaping Archaeological Assessment and Significance*, University Press of Florida, Gainesville, 2005, pp. 43-57 を参照のこと。

(51) https://www.museoreinasofia.es/en/education-programs/study-centre/program-for-advanced-studies-in-critical-practices-2013 を参照のこと。一五〇時間のこのプログラムは、ニューヨーク近代美術館（一回二時間、全五回の授業で三〇〇ドル）やテート・モダン（一回九〇分、全五回のセミナーで一二〇ポンド）で提供される収益目的の教育普及課程とは好対照をなしている。

(52) 展示について、現在のスロヴェニア政府が前者の選択肢を、美術館が後者を、好ましいとしていることは示唆的である。

(53) http://www.cultureshutdown.net を参照のこと〔二〇二〇年三月現在リンク切れ〕。二〇一二年一〇月四日、ボスニア国立博物館（Zemaljski Muzej）は、政府が資金を十分に調達することを失敗したことによって、百二十四年間の歴史の幕を閉じた。

(54) このリストは不完全なもので、他に「未来のない時間」（一九八〇年代のサブカルチャー）、「量的時間」（論理の自律した諸形式に基づく個別なシステムの数々）がある。

(55) バドヴィナクは最終的に、現代性（コンテンポラニアティ）／同時代性を時代区分と同等だと考えている（「バルカン諸国の紛争が我々の現代性（コンテンポラニアティ）／同時代性のはじまりを画した」）けれども、〔この美術館の〕コレクション展示には、一九五〇年代にまで遡る作品も含まれている。Zdenka Badovinac, "The Present and Presence," in: *The Present and Presence—Repetion 1*, Moderna Galerija, Ljubljana, 2012, p. 106.

(56) 同書、p. 103.

(57) Zdenka Badovinac, "New Forms of Cultural Production," 10/1/2012.
以下で閲覧可能：
http://arteeast.org/quarterly/new-forms-in-cultural-production/.

(58) この美術館は、第二次世界大戦中に占領軍〔枢軸国軍〕に協力した勢力である白軍のアートとこれを並べて展示していないことに対しては批判されている。

(59)http://www.mg-lj.si/node/168、http://radical.temp.si/を参照のこと(どちらも二〇二〇年三月現在リンク切れ)。

(60)Adela Železnik, "On Education in MG+MSUM," unpublished document, p. 1. ゼレズニックは、メテルコヴァ現代美術館とリュブリャナ近代美術館における教育普及担当のシニア・キュレーターである。

(61)他の機関は、ユリウス・コラー・ソサイエティ(ブラチスラヴァ〔スロヴァキア〕)、バルセロナ現代美術館(MACBA)、アントウェルペン現代美術館(MuKHA、アントウェルペン)、ファン・アッベミュージアムである。二〇一二年、ソフィア王妃芸術センターとSALT(イスタンブール)がこのネットワークに参加した。https://www.internationaleonline.orgを参照のこと。二〇一三年、ランテルナシオナルは、ファン・アッベミュージアムのエシュによってコーディネートされたプログラム「アートの利用——一八四八年と一九八九年からの遺産」を対象とする、五年にわたる計二百五十万ユーロの助成金を受けた。

(62)ビエンナーレがすでにこうしたことを行っているという意見をもつ者もいるだろう。歴史を記憶する作品やアーカイヴを多く展示したドクメンタ13(二〇一二年)が特にそうであると、そういった者たちは言うだろう(例えば、マイケル・ラコウィッツによるインスタレーションでは、一九四一年の連合軍による爆撃によって破損した図書館の蔵書がカブールの職人によって石彫として再現され、その横には、タリバンによる文化破壊を、第二次世界大戦期にカッセルが経験したそれと比較したテキストやオブジェが入れられたガラス陳列棚が置かれている。また、カデール・アティアによる、書籍、陳列棚、スライド・ショーで構成されたインスタレーションは、アフリカのオブジェの「修復」を、第一次世界大戦後の整形手術による兵士の顔の「復元」と比較するものである)。しかし、私は、キャロライン・クリストフ=バカルギエフ〔ドクメンタ13の芸術監督〕のプロジェクトと、私が本書で略述したものとの間には相違があると言いたい。その第一の理由は、彼女の展示のなかで表象された芸術的立場の数々の広大な範囲（社会的実践にはじまり、パフォーマンスや絵画を経由して、「アーカイヴ的衝動」にまでいたるもの）が全体として生みだしたものは、同定可能なひとつの立場ではなく、優柔不断な相対主義の新たなる実例にすぎないからだ。そして、そこに蔓延する懐古的なムードは、先に引用したロールストラーテの論考〔Ⅲ章、二八頁〕で述べられているように、未来に直面することの不能についてのあきらめをただ伝えているだけだ。

(63)ジョン・カーマンは、「認知的所有権（cognitive ownership）」という考え方とともに、考古学遺産についてのこれと関連するプロジェクトの地図化をしはじめている。John Carman, *Against Cultural Property: Archaeology, Heritage and Ownership*, Duckworth, London, 2005.

(64)「歴史を見るにあたってのコペルニクス的転換とはこうである。つまり、これまで「かつてあったもの」は固定点と見なされ、現在は、手さぐりしながら認識をこの固定点へと導こうと努めていると見なされてきたが、いまやこの関係は逆転され、かつてあったものこそが弁証法的転換の場となり、目覚めた意識が突然出現する場となるべきである。」

Susan Buck-Morss, *The Dialectics of Seeing*, MIT Press, Cambridge/MA, 1989, p. 338 におけるヴァルター・ベンヤミンの引用〔スーザン・バック＝モース『ベンヤミンとパサージュ論——見ることの弁証法』高井宏子訳、勁草書房、二〇一四年、四二四頁（引用元は『パサージュ論（*Das Passagen-Werk*）』断片番号「K1, 2」［ヴァルター・ベンヤミン『パサージュ論　第3巻』今村仁司・三島憲一ほか訳、岩波現代文庫、二〇〇三年、五一六頁］）〕。

(65)チャールズ・エシュは、「アートは、刺激的な技能を駆使することによって、民主主義的な文化に貢献しています。その技能とは例えば、進取の気性や、物事を別の仕方で見たり想像したりする可能性です。それらがきわめて重要なものとなるのは、差異を絶えず交渉する必要があり、オルタナティヴがいつも存在する場であるような、建設的な政治プロセスにおいてです」と述べている。Dominiek Ruyters による Eshe のインタビュー"A Cosmology of Museums," in: *Metropolis M*, 1/7/2013.

以下で閲覧可能：

https://www.metropolism.com/en/features/23234_a_cosmology_of_museums.

(66)美術館と九十九パーセントの議論については、www.occupymuseums.org を参照のこと。最悪なことに、美術館の価値はもはや、政治的意識を有する美術史によってではなく、ヘッジファンドの運用者やロシアの寡頭支配者の可処分所得で膨れ上がった美術市場によって決定されている。それゆえに、優遇されるのは、男性アーティストによる特大でけばけばしい作品である。南北アメリカ大陸において社会的意識を有するディレクターによって率いられているオルタナティヴな美術機関もやはり、独自の新しいモデルを考案しようと苦心してきた。実例としては、ニューヨークのクィーンズ美術館の教育普及プログラムや、リオデジャネイロの新興のリオ美術館での統合型アート・プログラムや教育普及プログラムが挙げられる。

(67)この事実は、美術館のディレクターの役割が、アーティスティックなものと財政的なものの二つに分割され、後者に比重が置かれる傾向によって悪化している。人文科学の価値の再概念化を唱える熱のこもった嘆願については、Stefan Collini, *What Are Universities For?*, Penguin, London, 2012 を参照のこと。

(68)使用価値には、「文化産業」、「教育」、「リクリエーションと観光」、「象徴としての表象」、「行動の正当化」、「社会的連帯と統合」、「金銭的・経済的利益」という観点から文化や人文科学を理解することも含まれている。前掲書 Carman, *Against Cultural Property*, p. 53 を参照のこと。

謝辞

このささやかな本は、数多くの絡みあう出来事によって触発されたものである。第一のそれは、二〇〇八年に私が米国に移住し、この国の美術館機関の保守主義と遭遇したこと。第二のそれは、二〇一〇年秋にニューヨーク市立大学大学院センターで行った「現代美術館」についてのセミナーである。このセミナーは、インディペンデント・キュレーターズ・インターナショナルとニュー・ミュージアムとともに私が共同企画し、二〇一一年三月にニューヨークにおいて実施された会議「今の美術館：現代美術、歴史のキュレーション、オルタナティヴなモデル（The Now Museum: Contemporary Art, Curating Histories, Alternative Models）」を準備するなかで行われた。このセミナーの学生たちは、後者の会議の発表者たちの多くがそうであったように、インスピレーションやエネルギーを与えてくれる対話者であった。第三の出来事は、二〇〇八年の金融危機への応答としての、二〇一〇年におけるヨーロッパの右傾化にともなう緊縮財政政策である。特にオランダにおいてそうであったように、芸術に対する公的資金の削減は、芸術の専門家の間に抵抗の高まりを生じさせたが、同様に壊滅的な予算削減に直面していた他の公的部門からの共感はほとんどなかった。

理論という点では、スーザン・バック＝モースの著作に私は多くを負うている。二〇一一年にニューヨーク市立大学大学院センターで彼女が行った「芸術の普遍史」についての講義は、私の考えの形成に寄与している。さらに、ニューヨーク市立大学大学院センターにおけるグローバリゼーションと社会変革のための委員会のメンバーたちや、クラーク・アート・インスティテュート（二〇一三年春）で私と一緒に働いた同僚たち、そしてスヴェン・リュティケンとステファン・メルヴィルといった、初期の草稿について助言をしてくれた皆に感謝したい。私のほかの著作同様に本書は、ニッキ・コロンバスによる惜しみない編集上のフィードバックから恩恵を受けている。本書を彼女に捧げたい。

訳者解説　日本の美術館の現場から

村田大輔

本書は、Claire Bishop and Dan Perjovschi, *Radical Museology, or, What's 'Contemporary' in Museum of Contemporary Art?*, Koenig Books, London, 2013 の全訳である。美術史家・批評家のクレア・ビショップによるテキストの合間に、ルーマニア出身のアーティスト、ダン・ペルジョヴスキによるドローイングが織り交ざりながら展開する本書は、これまでにイタリア語、ルーマニア語、ロシア語、韓国語、スペイン語、ハンガリー語、中国語、オランダ語(抄訳)、フランス語(近刊)に翻訳されている。

クレア・ビショップは、二〇〇二年にエセックス大学の美術史学科で博士号を取得。ロイヤル・カレッジ・オブ・アート(二〇〇一—〇六年)、ウォーリック大学(二〇〇六—〇八年)で教鞭を執った後、二〇〇八年からニューヨーク市立大学大学院センターに移り、学生に対する指導、美術批評活動を展開している(現在、同校美術史学科教授)。単著には、*Installation Art: A Critical History*, Tate/Routledge, 2005、*Artificial Hells: Participatory Art and the Politics of Spectatorship*, Verso, 2012 があり、後者は邦訳されている(『人口地獄——現代アートと観客の政治学』大森俊克訳、フィルムアート社、二〇一六年)。他にも数々の刺激的な論考を発表しており、二〇〇四年に『オクトーバー』誌に掲載された「Antagonism and

Relational Aesthetics」（邦訳「敵対と関係性の美学」『表象』05、星野太訳、表象文化学会、二〇一一年）は、ビショップの代表的な論考のひとつとして、美術の世界で影響力を持つ論考である。近年は特に、美術館におけるパフォーマンスの実施・展示のあり方を批評し、二〇一八年には、『The Drama Review』誌上に「Black Box, White Cube, Gray Zone: Dance Exhibitions and Audience Attention（ブラックボックス、ホワイト・キューブ、グレイゾーン――ダンスの展示と観客の関心）」と題する論考を発表しており、現在最も注目される批評家の一人である。

本書の分析内容は、「現代美術館」の「コンテンポラリー」の意味を問うことである。英語の「contemporary」という言葉の意味の多義性とビショップによるこの語の用い方の複数性から、本書では現代、同時代、コンテンポラリーという訳語が文脈に応じて使い分けられている（「contemporneity」についても、「現代性」、「同時代性」、「共時間性」という訳語があてられている）。ビショップは、その「コンテンポラリー」の意味を示すモデルを、いまの美術史学や批評の研究成果からではなく、三つの美術館（ファン・アッベミュージアム、ソフィア王妃芸術センター、メテルコヴァ現代美術館）のコレクション活動（収集、展示、教育普及、アーカイヴ等）の実践から導き出すことを試みる。現代美術館についてのロザリンド・クラウスによる論争的なテキスト「後期資本主義的美術館の文化理論」が一九九〇年に発表されて以降、現代美術館についての活発な議論が美術史家によって為されてこなかった事実を批判的に認識しながら、ビショップは、実際に存在する美術館のコレクション活動という極めて具体的実践内容から

「コンテンポラリー」に関するモデルを抽出することで、現代美術館についての美術史学の活性化も目指していることが窺える。

一九九〇年にクラウスが「後期資本主義的美術館の文化理論」において示したひとつの視点は、美術館の存在意義とコレクションも含めた美術館の活動・運営が、大衆消費市場やレジャー産業を基軸とするものへと移行しつつあるということであったが、それと呼応するように、ビショップが「コンテンポラリー」の分析において描きだすのは、現代美術館を取り囲む現在の資本主義的・経済的価値観である。「大きければ大きいほどよく、そうなればなるほど、より金回りがよくなる」という標語に端的に示されるグローバルに広がる美術館の民営化・私有化の動きの根底にある価値基準である。例えば、有名建築家に設計が依頼され、巨大な資金が投入されることにより実現される美術館建築への過剰なまでの固執は、公的・私的機関を問わず世界のいたるところで見出され、そうした美術館で望まれる展覧会と言えば、知名度の高いスター作家の個展をはじめ、新しく、クールで、フォトジェニックで、見事にデザインされた展覧会、すなわち、イメージの水準としての「コンテンポラリー」が劇場化された展覧会である、とビショップは指摘する。またビショップは、二〇〇〇年以降、美術館で広く積極的に採用されている作家・作品の出自の時代も文化地域も超えた「テーマ展示」に相対主義的要素を読み解き、このことを新自由主義的マーケティングの手法と同一視する。ビショップは、今日の現代美術館にみるこうした資本主義的かつ大衆迎合的要素が、クラウスの「後期資本主義的美術館の文化理論」において予見されていたことを指摘し、その特徴として美術館による、歴史や政治領域への不介入を読み解き、ビショップ自身はそこから脱却した地点に位置していることを示していく。

ビショップは、「コンテンポラリー」に関する現在の様々な哲学的・美学的言説（ピーター・オズボーン、ジョルジョ・アガンベン、ジョルジュ・ディディ＝ユベルマンなど）も踏まえた上で、自らの「コンテンポラリー」のモデルを提示してゆく。ビショップの「コンテンポラリー」の概念とは、「弁証法的同時代性」である。この概念は、「コンテンポラリー」を、例えば一九四五年以降、あるいは一九八九年以降と同義とみなすような時代区分的に捉えるものではない。あるいは、今日の「コンテンポラリー」の使い方の主流である現在主義（presentism）的な視点とも異なる。ビショップの「弁証法的同時代性」とは、「コンテンポラリー」をひとつの「オペレーション」として捉え、「時間性（テンポラリティ）」をラディカルに把握する視点、すなわち、「多数的な時間性をより政治的な領域のなかへと誘導する試み」として理解するものである。ビショップは、ここでの重要な問いは、「なぜある種の時間性が特定の歴史的契機における個別的な芸術作品に現れるか」であるとし、この分析は、現在の状況を理解する欲望と、その状況の打破にはどうしたらよいかと問うことに動機付けられているとする。これらの一連の問いは、「政治化されたプロジェクト」という行動（アクション）であり、さらに重要なこととして、そのアクションの視線は、「つねに未来に向けられている」ことを強調する。ビショップの「コンテポラリー」モデルの形成には、ヴァルター・ベンヤミンのあらゆる芸術的産物を駆り集め十九世紀の首都パリを展観した「星座的布置」という概念や、スーザン・バック＝モースによるベンヤミン論が大きく影響している。彼らの言説を手がかりとして提唱された「弁証法的同時代性」とは、現在という局面に関係する「過去の予期せぬ出現」によって、「未来を再起動」させる、「アナクロニズム的な行動」を指す。そうした概念が、現代美術館にとって示唆的であるのは、まさにこの一連の行動こそ、現代美術館のキュレーションの根源的なあり方であるとビショップが示したことにある。

すなわち、「コンテンポラリー」概念のキーとなる「多数の時間性」、「政治化されたプロジェクト」、「政治的な領域」の考察が最も豊かに試される場所がコレクションをもつ現代美術館である、とビショップは論じる。コレクションの収集や展覧会・展示とは、これまでの収集作品や展覧会活動を認識するだけでなく、これから加わる作品や展覧会のことも見据えるものであり、そこでは「過去完了形」と「未来完了形」の二つの時制を同時に考えることが求められると言う。だからこそコレクションは美術館が、過去と未来に関わる政治的な主張を行うためのひとつの武器となる、と。

訳者も含めて現代美術に携わるものの多くが日常的に感じていることは、ビショップが指摘するとおり、現代美術と現代美術館が資本主義・経済的価値観を基軸に機能しているという事実である。国内外で建築されてきた現代美術館の多くは、スター建築家によって設計され、その実現のために、巨額の資金が投入されてきた。そうやって実現された現代美術館に行く目的を、展覧会より有名建築家設計の建築を見に行くことと考えている人も少なくないだろう。また、現代美術館で開催が望まれる展覧会は、国際的に活躍するスター作家の企画展である。企画される展覧会のほとんどは、作品輸送、保険、展示、図録制作など、展覧会の企画から実施、終了まで莫大な費用がかかる。美術館の予算だけでは足りず、企業や個人からの寄付、公的機関からの後援・援助をはじめとする資金集めが必須である。さらに、有名作家による作品の収集も現代美術館では望まれている役割のひとつである。ビッグネーム作家の作品は高額であり、作品の収集の実現のために、展覧会の実現と同様、美術館の機構・制度内部で予算を確保し、時に財政的有力者から資金を集め、寄贈や寄託といった方法も駆使する。他にも、毎年世界各地で行われている現代美術のビエンナーレ、トリエンナーレ、アートフェアなどは、主催者が、有名作家や有力画廊の参加の実現を目指し、また、公的機関、個人スポンサーからの資金の獲得に奔走する。開催に伴って生じる作品の借用や移動、保険加入、売買、展示スペースの確保といったことに加えて、人の移動や滞在など諸々のことを含めると、世界的レベルでの資金の流れ、そして実施に伴う経済効果は、極めて巨大なものであり、経済的基盤や効果予測がなければ、もはや世界のアートイベントは成立しないだろう。

他方、現代美術における資本主義的・経済的循環の維持・醸成を下支えするのが、現代美術をめぐる人的ネットワークである。現代美術館の内部を観察すると、美術館の館長・キュレーター、建築家、政府機関、企業、有力個人、現代美術作家、現代美術商業画廊、報道関係者、美術史家、批評家といった現代美術のいわゆる強力プレーヤーたちが密に連携していることに驚かされる。企画展の実施や、コレクション形成の舞台裏では、現代美術の人的ネットワークがフル活用されている。ひとつの企画展の実施の背景の諸相をみてみよう。誰がキュレーターか（影響力のあるキュレーターは、「パワー・キュレーター」とさえ称される）、どの作家が選ばれ、どの商業画廊が手助けし、どの機関が後援し、誰が寄付し、そして誰がどのような批評を書いたかと検証してみると、人物や機関の相関関係がわかり、その相関関係が、別の展覧会企画ないしは国際的ビエンナーレの舞台裏にもそっくりそのまま当てはまる、ということが多々ある。そうして繰り返される関係性のなかで、現代美術に関する物事が動いている事実に気がつく鑑賞者は、ほぼいないだろう。しかし実際には、美術ファンや鑑賞者も、メディア上での展覧会紹介等からの影響によって、このネットワークに巧みに取り込まれており、人々が展覧会に足を運ぶことによって、展覧会は入場者数というかたちで世に受け入れられたものとして可視化され、そしてまた、彼らが支払う観覧料によって莫大にかかる経費の一部も補填されているのである。もちろんこうした人的ネットワークを肯定的に捉えることも可能である。しかし、このネットワークを提供する側には、惰性や怠惰や癒着といった悪い意味での「お仲間」感覚が生じてしまう可能性があり、そのサークルのなかでは、的確な企画が為されない、公平なキュレーションが実現されない、本来的な批評が為されない、偏りのある専門性（特定のキュレーターによる特定のアーティス

ト や地域の囲い込み）が生じてしまうことも事実である。また、鑑賞者という受容側には、メディアに影響され、能動的かつ批判的に展覧会や作品を考察できなくなるという点も指摘できるだろう。

ビショップが本書のコレクション展示の論考において示したのは、こうした状況を冷静に分析することであり、そこからの脱却宣言である。その脱却の成立に不可欠なものとして、ビショップが示したひとつは、コレクションの解釈に内在する可能性を見極めることであり、また同時に、コレクションを通して美術館という機関・制度を再考することであった。なかでもビショップは、館長・キュレーターの思想が機関・制度の再考において、いかに根幹的に重要な役割を果たしているかを示唆している。資本主義的価値観に取り囲まれた状況で、チャールズ・エシュ、マヌエル・ボルハ＝ビリェル、ズデンカ・バドヴィナクという美術館人たちの確固たる姿勢は明らかである。「美術館の任務は、ひとつの位置（ポジション）に立つこと」というエシュの言葉が思い出される。しかし実際問題として、ほとんどの現代美術のキュレーターは、意識的か無意識的かどうかは個別的に検証されなければならないが、経済的価値と芸術的価値を同一視するかのような振る舞いで現代美術のネットワーク上に入りこみ、さらにその網目を醸成するひとりの人物として行動することに消極的ではないように訳者には思われる。現代美術のネットワークのなかで、作家や画廊とだけでなく政府機関やメディアとのコネクション作りに勤しみ、そこで作家からも他の誰からも嫌われないように振る舞い、ビエンナーレでのキュレーションを目指し、美術館で言えば、名高い作家の企画展の実施やコレクション収集をめざすキュレーターが多く存在するのも、訳者にとっては、日常レベルで見てきたことである。

クレア・ビショップも現代美術界のネットワークに位置する人物であることに間違いない。彼女の影響力のある批評を求めて、誰もが、協力者や擁護者やキュレーターとして迎え入れたいと願うだろう。しかし、ビショップは、一貫してそのネットワークからは一定の距離を保ち、そこに居座ることが、いかに作品の本質的理解を妨げる危険性に満ちているかということを理解しているように思われる。二〇〇四年の論考「敵対と関係性の美学」においてビショップは、ニコラ・ブリオーによる『関係性の美学』(一九九八年)の視座や、彼が評価するリクリット・ティラヴァーニャなどの作品における関係性とは、「全体としての主体性と内在的な共存としての共同体という理想の内側にあまりにも悠々と安らっている」(前述『表象』05、九一頁)と批判をぶつける。そこに関わる人々は、アートという彼らにとっての共通言語で、「美術業界(アートワールド)のゴシップ、展覧会評、そして一過性のお遊び」(同、九二頁)をしているだけだと、国際的ビエンナーレで活躍し、世界中の現代美術館が競って展示を試みたスター作家の作品に対しても自らの批評に嘘をつかない。その確固たる姿勢の背景には、批評とは、作品に内在する力を的確に表出することだと信じるビショップの信念があり、単に批判するだけでなく、トーマス・ヒルシュホルンやサンティアゴ・シエラの作品にみられる関係性、すなわち、「世界およびお互いに対するわれわれの関係について再考するための、より具体的かつ論争的な土台をもたらしてくれる」力こそが(同、一〇六頁)、芸術の根源的なあり方であると、ビショップは自らの評価軸を事細かに提示している。

日本では、バブル経済の絶頂期と重なるように一九八〇年代から一九九〇年代をとおして、各地に多くの公立の近現代美術館が建設された。巨額の公的資金が投入され、近現代作品のコレクション収集がなされ、また国内外の巨匠作家のブロックバスター型展覧会も数多く実施された。二〇〇〇年代に入ると、本書でも言及されているプライヴェート美術館の森美術館が二〇〇三年に開館し、その翌年には、公立(金沢市立)の金沢21世紀美術館が開館した。後者は一九八〇年代以降の現代美術を専門的に収集する美術館として、クンストハレ的な美術館として国内で注目されていた水戸芸術館現代美術ギャラリーとは一線を画すかたちで、とりわけ注目を集めた。その後、美術館だけでなく、全国各地における地域密着型のビエンナーレやトリエンナーレにおいても、現代美術がより多く取り上げられてきた。現代美術はここでは、観光促進や町おこし的機能を担っており、メディアには、現代美術ないしは現代アートという言葉が頻繁に登場し、国内外の現代作家・作品が積極的に紹介されている。

周知のとおり、日本の美術館で働く、欧米のキュレーターに対応するポジションは、「学芸員」と呼ばれている。分業が徹底されている欧米の美術館とは異なり、日本の学芸員のほとんどは、企画展の実施やコレクション収集だけでなく、教育普及、鑑賞者やボランティアとのやり取り、保存修復、また時に膨大に存在する煩雑な事務作業も行わなければならない。具体的には、コレクションに関して言えば、収集を経た作品には、コレクション展での陳列、調査研究、情報更新管理、写真撮影、物理的保存管理、貸出活動などの継続的な仕事が長期計画の下、遂行されなければならない。これらのコレクション業務は、同時進行的であり、また永続的であるため、何年もの間遂行していくには、学芸員それぞれの分析能力、持久力、あるいは対外的なやりとりも必要であるため、コミュニケーション能力、学芸員同士のチームワークも必須である。

現代美術に関して言うと、訳者の経験からは、企画展の実施や企画展に繋がるような調査やコレクション収集が優先され、こうした表舞台とは関係のないコレクションに関する様々な業務は後回しにされてきた印象がある。業務量がとても多くてこなしきれていない学芸員がいる一方で、手元に存在するコレクションの仕事は先送りしても直ちに問題にならないと判断している学芸員もいる。また、展覧会の実施やコレクションの収集には積極的であるのに、それ以外の煩雑な仕事を避けがちな学芸員もいる。もちろん学芸員の資質以外に、館全体の方針や財政的変動にも、表舞台には見えにくいコレクション活動が影響を受けやすいことも事実である。実際問題として、緊縮財政によって、コレクション購入やコレクション管理費に一切予算が工面されない美術館も多い。コレクションが収集されたのはよいが、その後、長年管理が放置、放棄された状態の美術館も存在し、時にずさんな管理がメディアで取り上げられることは周知のとおりである。

そうした状況では、収集されてきたコレクションにかかわって、本書で示された収集や陳列の意味、パブリックとの関係性といった問いが熟考されることはほとんどない。コレクションの陳列方法が、ビショップが批判したとおり、因習的な年代順展示、国別展示、様式別展示となってしまうことは容易に想像できる。展示を担う学芸員は、欧米同様、大学・大学院で美術史を学んだ者が多く、美術史の正典といえば今もなお、時代・文化別作品論、様式論が中心であり、その規範にそって展示をしておけば無難であるからだ。その正典を見せることが啓蒙的で、一般の鑑賞者にとって有益であるという自負を持つ者もいるだろう。

コレクションに対する長期的展望を欠くこうした学芸員ないしは美術館全体の姿勢が意味するところは、作家、作品、美術館、鑑賞者についての学芸員自身や美術館組織の理解不足であり、これらの主体間の関係性の複雑さ、豊かさに対する想像力の欠如である。本書で取り上げた三つの美術館は、芸術作品に内在するこれらの問題に対する可能性を理解し、その表現世界を基軸にコレクション展示を構成し、組織の構造を問い、歴史的認識を提示し、コレクションの共有物としての位置付けを問うている。さらに、この問いは、一過性、あるいは現時点だけの興味に起因しているのではなく、過去も未来も含めた長期的視野を伴った問いかけであることをビショップは示した。また彼らは、鑑賞のありかたの理解についても意欲的である。ビショップの言葉を借りるなら、鑑賞者が、作品世界を受け身に感じる存在ではなく、作品や展示を読解し、反駁し、意見や立場を持つ者としてそこにいることも、これらの美術館は理解している。

人間の表現自体は、公的な保護や援助とは無縁の存在である。また、どのような表現でも鑑賞者ないしは大衆が受け入れるわけではないことは我々も理解している。その表現を現代美術としてあえて収集し、公開し、市民ひとりひとりの共有物であると知らしめる行動自体は、矛盾しているとも考えられる。しかし、現代美術館はあえて、その矛盾をネガティブに捉えるのではなく、あるいは、二者択一的に現代美術の表現内容か大衆の賛同かのどちらかだけを優先するのではなく、両者に対して向き合い、その均衡を維持する作業のなかで、作家や作品や美術館や鑑賞者の未来を切り開く可能性を抽き出さなければならない。ビショップが取り上げた美術館のコレクション活動からは、この矛盾する要素がいかに十全に理解されているかが示されている。

日本の学芸員がコレクションに囲まれ、教育普及に携わり、保存管理、あるいは鑑賞者対応等、ありとあらゆる業務を行う役割を担うのであれば、訳者はだからこそ逆に、ビショップが取り上げた美術館のように、あるいはそれ以上に、コレクション作品の時空を超えた意味を多角的に検証することが可能となるであろうし、さらに、より巨視的な視点で、社会における共有物としての現代美術や現代美術館のありかたについて積極的に解釈できるはずだと思っている。一般的に美術館職員の分業が徹底されている欧米の美術館システムのキュレーターでは見落としやすい、あるいは想像もできないことへの眼差しを日本の学芸員は養うことのできる環境にいると訳者には思えるのである。

訳者がビショップから直接聞いたところでは、美術史家は本書にほとんど関心を寄せていない印象があるという。しかし、美術史家のテリー・スミスは、ビショップがすべての歴史的な時代に潜在的に適用可能な方法あるいは実践として「コンテンポラリー」を捉えた点に着目し、この手法によって、歴史家や美術史家に対しては、国家主義的な物語や芸術の自律性を表出していくこととは全く異なる、特定の時間性の識別と明瞭化という新たな研究課題が与えられることになると評価している。彼らは、「コンテンポラリー」や「コンテンポラリー・アート」という言葉の意味を概括するのではなく、特定の時間性の特性を見極め、その特性がいまの世界のどの状況に位置しているか、どのように世界の変革に貢献しうるかを考察しなくてはならなくなる、としている（Terry Smith, *Talking Contemporary Curating*, Independent Curators International, 2015）。他方、多くの美術館館長やキュレーターからは、コレクション展示をいかに行うかという点で手助けになったとビショップ自身が直接言われたという。原書の刊行からおよそ七年経った現在でも、美術館のコレクション展示は、年代順展示やテーマ展示が主流のように思われるが、こうした状況でビショップの論を支持する美術館も存在しており、今後のコレクション展示、ひいては本書が示した教育普及、アーカイヴ等も含めたコレクション活動の行方が興味深い。

日本国内の美術館のコレクション展示に再び目を向けると、前述のとおり、年代順、運動や様式別、文化・地域別展示が主流である。現代美術の展示には、戦後の一定の年代から現代までという時代枠が与えられていることがほとんどである。例えば、一九四五年以降、あるいは一九八〇年代以降というような時代枠である。さらに、その時代枠のなかで、現代美術という枠組みは、「洋画」や「日本画」といった明治期以降に作られた様々な美術ジャンルでは捉えられない作品や、大型美術団体や組織に属さない作家の表現を総称的かつ便宜的に示すために用いられる場合もある。一方、近年では、テーマ展示が多く見られるようになった印象もある。このテーマ展示には、現代的テーマと関連させたキュレーションや、また一方で、例えば、現代美術家を招き、美術館のコレクションと自身の作品を並置する展示もある。しかし、これらの展示は、時代や文化を超えた作品の見た目の共通点や類似点（美しさや面白さ）への個人的興味を昇華させているものが多く、非政治的で、無難なものでもある（この点では、ビショップが本書で取り上げた、政治的領域に切り込むことに躊躇しない三つの美術館とは異なる）。別の傾向としては、アーカイヴ展示において、作品だけではない様々な資料の並列展示がここ数年の間に増加してきた印象がある。また、ビショップの言う未来志向的な「多数的な時間性をより政治的な領域のなかへと誘導する試み」との関連で言えば、二〇一八年に国立国際美術館（大阪）で開催された「トラベラー：まだ見ぬ地を踏むために」展（開館四〇周年記念展）がある。この展覧会は、自らのコレクション収集や展覧会活動を借用作品も織り交ぜながら振り返り、歴史認識を提示し、美術館やそのコレクションが時空を超える「旅人（トラベラー）」となる重要性を示していた点で、日本国内では特筆すべき展覧会だった。

ビショップが本書で展開した論点は、日本では一部の批評家、美術史家の間をのぞいて、ほとんど議論されてきていない。ビショップによる「コンテンポラリー」という概念、日本語の「現代美術」の「現代・性」、「同時代・性」、「共時・性」、「時間・性」の意味やその内容について、表現と批評の変遷内容の検証とともに分析されるべきだろう。すでに日本の戦後美術史の分野においても指摘されているとおり（例えば、佐藤道信『美術のアイデンティティー』吉川弘文館、二〇〇七年）、戦後の日本美術における「現代」という言葉には、日本が目指した「国際性」や「民主性」の志向が内在していた。その言葉の現在の使われ方、そこに内在する意図やイデオロギーを分析することも、日本における現代美術のコレクションの考察には必要なことに思われる。また、ビショップの指摘に含まれていたコレクションの収集、再現、教育、アーカイヴに加えて、レジストレーションやコンサヴェーションといった保存修復管理等について、それぞれのひとつひとつの個別的、単眼的な側面からの議論ではなく、またそれらはキュレーションに従属するという考え方ではなく、どの側面もがコレクション総体、そして現代美術館を構成する必要不可欠な主体的要素という認識にもとづいて考える必要があるだろう。

美術館も鑑賞者も、日本における政治的・社会的課題により意識的になるべきである。多くの表現者は彼らの独自の造形言語で疑問を投げかけ、我々の意識に働きかけ、構造を問うてきている。ビショップが説くとおり、美術館は、必ず実在するオルタナティヴの存在に意識を向け、彼らに寄り添い、それらが現代美術館にとっての生き生きとした使命を考案してくれるという信念を持ち、そうして、蓄積された数々のコレクションを見つめながら、過去、現在、未来に作動し続けるコレクションや活動を行うべきである。そしてまた鑑賞者もその問いに真摯に答えてほしい。両者が対話をとおして向き合うことは繊細で困難で、時に議論を巻き起こすことにもなるだろう。しかし、美術館が自らの存在を社会に位置付け、市民ひとりひとりがその存在意義を再認識するためには、避けてはとおれないことである。両者の対話を経てはじめて、コレクションをもつ現代美術館は、真の意味でラディカルな時空間となりえるのではないだろうか。

最後に、本書のイラストを描いているダン・ペルジョヴスキについて触れておきたい。

一九六一年、ルーマニアのシビウに生まれたペルジョヴスキは、世界情勢や現代社会の諸問題を独自の切り口で解釈し、大型のウォールドローイングや紙面での風刺漫画で表現するアーティストである。自明の体制や、既存の構造に疑問を投げかけ、また鑑賞者にもその考察の重要性を意識的かつ感覚的に認識させ、熟考を促す表現世界を確立している作家である。彼の作品は、日本では二〇一三年のあいちトリエンナーレ、二〇一六年東京都現代美術館「MOTアニュアル2016　キセイノセイキ」展に出品された。

ビショップとペルジョヴスキの出会いはさかのぼること二〇〇三年。ビショップが学生のグループとともにルーマニアを訪れたこの年に、両者はこの地で出会い、交流し、親交がはじまる。ペルジョヴスキは、これまでビショップが籍を置いてきた、ウォーリック大学、ニューヨーク市立大学大学院センター内に、ビショップと協同するかたちでウォールドローイングを実現してきている。従って、本書は、二人の長年の親交とコラボレーションを踏まえて実現されたものである。具体的には、二〇一二年、香港にて開催された「キュレーションの実践と美術館（Curatorial Practice and the Museum）」と題するレクチャー&ディスカッションのイベントにおいて、ビショップは「ラディカル・ミュゼオロジー」の考え方について講演を行ったが、その講演のスライド投影用にペルジョヴスキにドローイング制作を依頼したのが書籍出版へとつながったという。ビショップによる最終稿が完成した折に、両者によってドローイングが選択され、また、差し替えや追加等の最終調整も行われた後に、共著として本書が完成した。

ビショップの「コンテンポラリー」論に協同するかたちで、ユーモラスな、時には皮肉に満ちたドローイングを提示する。Ⅲ章の三八頁には、「ART」の「T」の箇所に、磔刑のような彫刻ないしはパフォーマンスが描かれているが、その横にいる美術館職員らしき人物は、「プレスが出て行ったから、降りていいよ」と磔刑の人物に声をかける。展覧会が一般公開になる前に報道関係者に行われるプレスガイダンスでの風景と思われるが、これは、美術館や現代美術家がプレスガイダンスでの作品の完璧な姿の提示に執拗にこだわることをコミカルに描くものであり、同時に、一般鑑賞者には、どのように見られてもよいという現代美術界の人々の本心さえもが示唆されている。Ⅶ章の七八頁は、「共有物（コモンズ）のアーカイヴ」、すなわち「すべての人たちに開かれたコレクション」という考え方を図解したものである。左側が、アートが神聖化される旧態の美術館であり、右側は、すべての人たちに開かれた、すなわち彼らを包含する美術館である。時にビショップの言説をわかりやすく図示し、また時に別の角度から、思いもよらない造形で読者に笑みをもたらしながらビショップの論に呼応する。両者のテキストとドローイングの有機的な共鳴関係は、互いの芸術的信頼関係から実現されているのは言うまでもない。

もうひとつ、ビショップとニッキ・コロンバスによるオンライン上の「心を解放せよ」（二〇二〇年一月）というニューヨーク近代美術館に関する「推測レビュー」を紹介したい（Claire Bishop, Nikki Columbus, "Free Your Mind A Speculative Review of #NewMoMA" [https://nplusonemag.com/online-only/paper-monument/free-your-mind/]）。ビショップ言わく、このレビューは、「ラディカル・ミュゼオロジー」すなわち「弁証法的同時代性」の理想的ヴィジョンとしての実践である。ニューヨーク近代美術館のリニューアルオープン（二〇一九年一〇月）における展示作品にも言及しているが、このオンライン上で示されるニューヨーク近代美術館の展示は彼女ら二人による全くの創作であり、したがってレビューも想像と推測によるものである。もともと『アートフォーラム』誌に掲載予定であったが、原稿提出後、同誌から掲載が却下されたため、『n＋1』のオンラインページに掲載することになったという。オンライン上であることから、ニューヨーク近代美術館のコレクションのページにもダイレクトにリンクが貼られており、皮肉にもかえってそのことで、ビショップたちの思想が誌上よりも明確に生き生きと伝えられるものとなっている。

翻訳と訳者解説の作成にあたっては、ビショップ氏にはさまざまな質問に親切に答えていただいた。時にユーモラスに、時に真摯に説明するビショップ氏の姿から、氏の学問のとらえかた、人間としての奥行きの深さや優しさに感銘を受け、現代美術に携わるものとして、勇気づけられた。ビショップの言説に触れ、やりとりをしていくなかで、今の多くの現代美術館に欠如しているのは、何のために、誰のために我々は学び、美術館を社会に位置づけようとしているのかという、大前提であるように思えた。

刊行にあたって、訳文と解説を丁寧に読んで、的確な指摘をしてくださった月曜社の神林豊氏、青柳克幸氏に深く感謝申し上げたい。また、栂井理恵氏にも、あらゆる局面で大変お世話になった。深く感謝申し上げたい。

二〇二〇年三月

クレア・ビショップ (Claire Bishop)
1971年、英国生まれ。ニューヨーク市立大学大学院センター美術史PhDプログラムを拠点とする美術史家・批評家。著書は*Installation Art: A Critical History* (Tate/Routledge, 2005)、*Artificial Hells: Participatory Art and the Politics of Spectatorship* (Verso, 2012、日本語訳『人口地獄——現代アートと観客の政治学』大森俊克訳、フィルムアート社、2016年)。編書に*Participation*（MIT/Whitechapel, 2006)、*1968/1989: Politics Upheaval and Artistic Change* (Warsaw, Museum of Modern Art, 2010) がある。展覧会「Double Agent」（インスティテュート・オブ・コンテンポラリー・アーツ、ロンドン、2008年）の共同キュレーター。『アートフォーラム』誌の定期執筆者であり、『オクトーバー』誌（MIT Press）の不定期執筆者。

ダン・ペルジョヴスキ (Dan Perjovschi)
1961年、ルーマニア生まれ。ドローイング、風刺漫画、グラフィティといった媒体を用いるアーティスト。『Revista 22』誌の編集作業を通じて、ルーマニアの市民社会の発展において意欲的な役割を果たしている。彼のドローイングの多くは、時事問題や文化的出来事についての政治的批評である。1999年のヴェネチア・ビエンナーレにルーマニア代表として参加するなど、世界中のビエンナーレや美術館で展示を行っている。代表的なものとして、イスタンブール・ビエンナーレ（2005年）、テート・モダン（2005年）、ニューヨーク近代美術館（2007年）、パリ・トリエンナーレ（2012年）。無料の新聞や小出版物でも、《Mad Cow, Bird Flu, Global Village（狂牛病、鳥インフルエンザ、グローバル・ヴィレッジ)》(2007年)、《Postmodern Ex-Communist（ポストモダンの元共産主義者)》(2007年)、《Recession（不況)》（2010年）などのドローイングを発表している。現在ブカレストに居住し、活動。

村田大輔 (Daisuke Murata)
1976年生まれ。金沢21世紀美術館学芸員（2003–2013年)、富山市ガラス美術館学芸員（2013–2015年)、兵庫県立美術館学芸員（2015–2020年）を経て、現在カンザス大学美術史学部博士課程在籍（日本美術史)。主な企画展覧会として「ロン・ミュエック」（金沢21世紀美術館、2008年)、「杉本博司　歴史の歴史」（同館、2008年)、「没後130年 河鍋暁斎」（兵庫県立美術館、2019年)。主な論文に“Kogei Tragedy,”（*The Journal of Modern Craft*, Bloomsbury Publishing, Vol.8/1, March, 2015）がある。

ラディカル・ミュゼオロジー
つまり、現代美術館の「現代」ってなに？

著者　クレア・ビショップ
ドローイング　ダン・ペルジョヴスキ

訳者　村田大輔

発行日　2020年4月30日　第1刷発行
2021年2月20日　第2刷発行

発行者　神林豊
発行所　有限会社月曜社
住所　182-0006　東京都調布市西つつじヶ丘4丁目47番地3
電話　03-3935-0515（営業）
042-481-2557（編集）
ファックス　042-481-2561
http://getsuyosha.jp/

印刷・製本　モリモト印刷株式会社

ISBN978-4-86503-098-3

月曜社の本

アヴァンギャルドのオリジナリティ
モダニズムの神話

ロザリンド・E・クラウス
谷川渥／小西信之＝訳

20世紀美術批評の重要論集

本体価格4,500円

視覚的無意識

ロザリンド・E・クラウス
谷川渥／小西信之＝訳

最重要美術批評家の主著

本体価格4,500円

ミューズたち

ジャン=リュック・ナンシー
荻野厚志＝訳

美学の脱構築へ向かう
芸術哲学の精華

本体価格2,700円

写真の理論

甲斐義明＝編訳

写真理論の重要論考五篇
＋詳細な解説。

本体価格2,500円